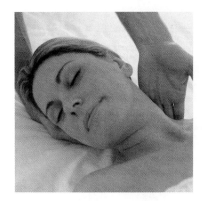

LA **guía** COMPLETA DEL

masaje

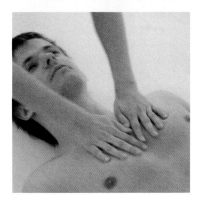

SUSAN MUMFORD

LA **guía** COMPLETA DEL
masaje

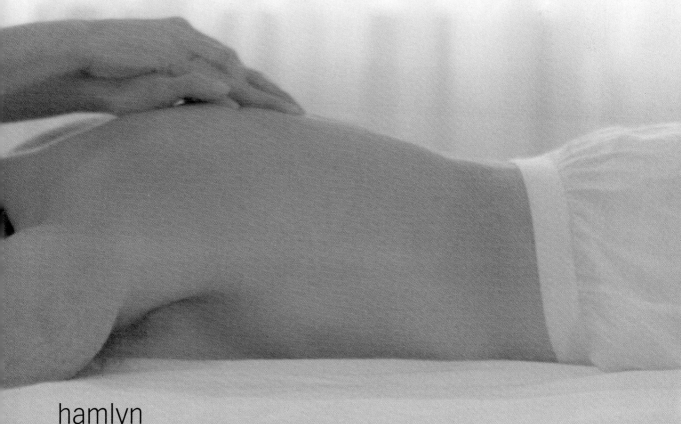

hamlyn

Título original: *A Complete Guide to Massage*

Traducción: Adelaida Ruiz
Fotografías: Richard Truscott

Primera edición en Reino Unido en 1995 por Hamlyn, sello
editorial de Octopus Publishing Group Limited.

Edición revisada y actualizada de 2006

Coordinación editorial: Bettina Meyer
Maquetación: Fotocomposición 2000

ISBN: 978-0-7394-9184-3

Impreso en U.S.A.

Advertencia

Un masaje no debe reemplazar en ningún caso un
tratamiento médico prescrito por un profesional; es
necesario consultar con un médico todas las dudas
relacionadas con la salud o cualquier síntoma que requiera
un diagnóstico o atención médica. Se recomienda
precaución durante el embarazo, especialmente con la
    aplicación de aceites esenciales o digitopuntura. Los
        aceites esenciales no deben beberse ni usarse en
            bebés o niños pequeños, sin el consentimiento de
                un médico.

índice

introducción

Es para mí un motivo de orgullo presentar este nuevo libro, una actualización del original, que tan gran acogida ha tenido y que ha sido traducido a tantos idiomas. Desde que comencé a escribir, el masaje se ha hecho más popular, ha aumentado su difusión y aceptación. Ahora se pueden encontrar diferentes estilos de masajes en todo tipo de centros de salud. Pero si hay algo que no ha cambiado, es su dinámica principal: ¡un par de manos, una mente y un corazón abiertos y un afortunado receptor bien dispuesto!

La belleza del masaje reside en la forma sencilla y directa del contacto humano. Satisface la necesidad básica: el deseo de tocar y ser tocado. Tanto si se trata de un breve masaje en la espalda de cinco minutos, como si se está intentando crear un espacio de intimidad, sus habilidades le permitirán liberar la tensión acumulada, el dolor de espalda o ganar confianza. ¡Contemple cómo vuelve a brillar tímidamente la sonrisa de su compañero o compañera conforme se va relajando ante sus ojos! Ya sean amigos, familiares o amantes, el masaje ofrece el marco que nos permite reforzar el contacto y conocimiento mutuo. Pero si usted desea llegar un poco más lejos, el masaje puede ser una forma muy especial de ser conscientes de nuestras energías y de cómo nos relacionamos unos con otros.

El masaje es una habilidad fundamental que todos deberíamos poseer. Y aunque debemos aprender algunas técnicas y movimientos básicos, quizá el ingrediente más importante del masaje es la experiencia que aporta cada individuo. Al mismo tiempo, la sensibilidad, la generosidad, el calor y la apertura son elementos esenciales para que un masaje adquiera un sentido, más allá de un simple conjunto de movimientos. De hecho, un masaje realmente inspirado es una oportunidad para que dos personas vayan más allá de sí mismos, alimenten su espíritu y liberen su creatividad. Aún siendo algo muy sencillo, el masaje puede tener efectos profundos y de gran alcance.

Este libro tiene el propósito de ser una guía completa. Y le conducirá desde las primeras técnicas al masaje de cuerpo entero. El masaje se presenta en dos niveles diferenciados para hacer más fácil su comprensión, por lo que podrá usted detenerse en uno sencillo, o continuar avanzando hacia otro nivel. Al final del libro encontrará una sección de técnicas específicas que se pueden emplear para seguir desarrollando el masaje. Al principio, pruebe con un amigo con el que se sienta cómodo. Si comienza con ánimo exploratorio y algo de humor, sus descubrimientos, sus logros e incluso sus errores, irán conformando su propio estilo personal.

cómo utilizar este libro

Seguramente le resultará útil saber cómo el masaje se desarrolla a lo largo del libro. Dado que en todo proceso de aprendizaje no hay nada mejor que las instrucciones prácticas, el masaje en sí se ha presentado intentando aproximarnos lo más posible a una clase práctica. Lo mejor es aprender de forma natural, paso a paso, y no todo de una vez. Por lo tanto, el libro se ha dividido en fases claras y sencillas, y usted tendrá la oportunidad de completar y practicar cada fase antes de pasar a la siguiente. Cada sección se basa en lo aprendido anteriormente. Aunque al principio usted seguirá cada instrucción paso a paso, la idea es que vaya desarrollando una serie de movimientos a partir de los cuales podrá ir creando su propio masaje. La primera sección, Antes de comenzar, incluye una guía básica de anatomía y fisiología que le ayudará a visualizar mejor dónde colocar sus manos. Esta es una información de apoyo, ya que un enfoque teórico del masaje se convierte con frecuencia más en un obstáculo que en una verdadera ayuda.

La segunda sección, Para comenzar, es una guía de aceites y esencias de aromaterapia que puede emplear para potenciar el efecto del masaje, además de algunas recetas sencillas para experimentar. Luego, se incluyen algunos ejercicios introductorios para que usted se familiarice un poco más con su propio cuerpo antes de comenzar a trabajar con otra persona.

Experimentar el masaje en usted mismo es aconsejable antes de comenzar a practicar con su amigo o compañero. Y así también descubrirá nuevas formas de aumentar la sensibilidad de sus manos.

La tercera sección, Técnicas simples, presenta y demuestra algunos métodos de masaje en varias partes del cuerpo, ofreciendo, al mismo tiempo, una idea más general de la forma en que se emplean. Antes de comenzar, es conveniente que practique.

La sección siguiente, Masaje simple, es una guía paso a paso donde se van incorporando las técnicas aprendidas. Siga cada uno de los pasos, y vaya desarrollando sus propias preferencias en movimientos y estilos. Este masaje es la base de la secuencia siguiente.

Las dos secciones, Técnicas Avanzadas y Masaje avanzado, recogen técnicas más desarrolladas, seguidas de un masaje de cuerpo entero paso a paso. Este masaje incorpora las nuevas técnicas, que parten de los movimientos y secuencias del masaje simple. Así es más fácil incorporar nuevos conocimientos, y se estimula la confianza. Estos dos masajes van seguidos de Técnicas específicas, donde se incluyen el masaje sensual y el automasaje. Para terminar, tan importante como la forma en que comienza un

masaje, es la forma en que este finaliza. La sección Después del masaje se ocupa de que ambas partes saquen el máximo beneficio posible de la experiencia, se tomen tiempo para relajarse y recobren lo que han entregado.

antes de comenzar

El comienzo de algo nuevo siempre nos entusiasma. Sin embargo, cuando se trata de algo grande y desconocido que no sabemos cómo abordar, podemos experimentar temor. Afortunadamente, al abordar el masaje por etapas sencillas, el comienzo será mucho más fácil. La tentación será ir directamente a la práctica del masaje. Sin embargo, es aconsejable familiarizarse en primer término con esta sección introductoria. Tener una idea del material con que se está trabajando, qué cosas se necesitan para comenzar y por qué debe darse un masaje le ayudará a tener confianza y a proporcionar un sentido a esta actividad. El masaje tiene muchas connotaciones. Sea cual fuere la razón por la cual usted tomó la decisión de dar masajes, esta práctica es realmente valiosa y da probados resultados.

introducción al masaje

¿qué es el masaje?

El masaje es una forma estructurada de contacto. En él se utilizan las manos, y a veces otras partes del cuerpo, tales como los antebrazos o los codos, para deslizarlos sobre la piel y aplicar presión sobre los músculos que están debajo, conformando una serie de movimientos, que pueden ser de golpe, frotamiento, amasado y presión. El masaje puede ser relajante o estimulante y, cuando se lo utiliza concentrándose en la energía, puede afectar al cuerpo, la mente, el espíritu y las emociones. El masaje es un arte antiguo que ha sido practicado durante siglos. Los egipcios, los griegos y los romanos, utilizaban el masaje como técnica terapéutica, y también para dar placer. En India, China y Japón, el masaje forma parte integral de la medicina. En China, las referencias al masaje datan de tres mil años antes de Cristo.

¿qué produce el masaje?

En realidad el masaje no le hace nada al cuerpo. Lo que intenta es estimularlo para que realice sus funciones normales. En otras palabras: el masaje no es algo que uno le hace a otra persona, sino que es un proceso que uno inicia y al cual el cuerpo responde. El masaje provee estimulación y el cuerpo es quien hace el trabajo.

los efectos del masaje

Como beneficios, el masaje produce aflojamiento de las tensiones musculares, tonificación y afirmación de los músculos y estimulación de la circulación de la sangre y la linfa. A partir del exceso o la falta de ejercicio o de la tensión física o mental los residuos provenientes de la actividad muscular (dióxido de carbono, ácido láctico y urea) se pueden acumular en los músculos evitando que las fibras se deslicen suavemente unas sobre otras y produciendo un aumento del tono muscular. El masaje ayuda al drenaje de estos residuos, principalmente del ácido láctico, libera los músculos y restaura sus funciones normales. También recuerda a los músculos cuál es la sensación de relajación. El masaje ayuda al drenaje de la linfa y a la circulación sanguínea. Esto, a su vez, mejora el aspecto de la piel, que es el órgano de mayor tamaño de nuestro cuerpo. Una piel saludable provoca un efecto mental positivo; muchos problemas de la piel se relacionan con las tensiones; su estado a menudo refleja el estado general interior de una persona.

Además de afectar los músculos, el masaje afecta los nervios, actuando sobre el sistema nervioso autónomo para producir una sensación de relajación. La estimulación de las terminaciones nerviosas de la piel se trasmite a través del sistema nervioso central hasta el cerebro, y contribuye a proveer una sensación de bienestar general y a disminuir las tensiones. A su vez, el sistema nervioso ejerce el control del sistema vascular. La falta de flujo vascular da como resultado una ineficiencia en el drenaje y la provisión de flujo sanguíneo.

El proceso de relajación ayuda a producir un patrón más natural de respiración abdominal, que es fundamental para el funcionamiento de los órganos abdominales. El masaje contribuye también a la disminución del estrés y la fatiga causados por la acumulación de desechos y a la efectividad de los procesos metabólicos.

El masaje puede contribuir a la restauración del equilibrio natural del cuerpo a través de la relajación. En realidad se trata de una excelente técnica preventiva y ¡nos hace sentir muy bien!

¿quién puede beneficiarse?

El masaje es absolutamente para todos, y todas las personas pueden dar un masaje, si bien es cierto que algunas tienen mejores condiciones naturales que otras para hacerlo.

Sin embargo, todos pueden aprender. Todas las personas pueden también recibir masajes. Existen algunas contraindicaciones, pero en general todos pueden beneficiarse.

El contacto nos hace sentir deseados. Sin contacto, nos sentimos aislados. Por esta razón el masaje ayuda particularmente a aquellas personas que están en situación de pérdida o de duelo o a quienes no tienen una relación física. El contacto físico es un modo de comunicación, de afirmación y de expresión. Nos da sentimientos de identidad y nos ayuda a construir la autoestima. En un mundo caracterizado por la sobreestimulación y la falta de sensibilidad, el masaje nos da la oportunidad de mantenernos en contacto con nuestro cuerpo.

Después de un masaje, muchas personas tienen la sensación de que son un todo y no una serie de partes desconectadas. También adquieren una mayor conciencia de los límites de su cuerpo y sienten que sus pies están mejor afirmados en el suelo. El masaje nos proporciona esa sensación de contacto y de cuidado que tanto necesitamos.

El masaje nos da equilibrio. Si usted se siente sobreexcitado, el masaje puede ayudarlo a obtener calma y tranquilidad. Si, en cambio, se siente adormecido, lo ayudará a despertar. También se puede utilizar el masaje para problemas específicos, tales como el dolor de espalda o de hombros, los dolores menstruales, la tos, las cefaleas y otros trastornos. Igualmente como parte de la recuperación después de enfermedades o heridas. Sin embargo, usted debe tener claro que su intención no es curar y que los problemas crónicos y los agudos necesitan control y

tratamiento médicos. El masaje se puede utilizar antes y después de los deportes y la gimnasia, para ayudar al calentamiento del cuerpo o a la relajación de los músculos después del ejercicio, y prevenir la existencia de rigideces posteriores. Como tonifica los músculos, el masaje puede cumplir una función en programas de recuperación física, y también de belleza, pues la combinación de aceites con masajes puede ayudar a la renovación de las células y a la elasticidad de la piel.

La tensión se relaciona con muchos más problemas de los que imaginamos. Hoy en día muchas personas sufren de trastornos relacionados con el estrés. Este puede aparecer bajo la forma de tensión física, tensión muscular, hiperreactividad emocional o ansiedad, y repercutir sobre el cuerpo. En los casos de estrés, el masaje puede ayudar a reducir los efectos físicos de la tensión, calmar la mente y las emociones y restablecer la energía vital.

El contacto entre la mente y el cuerpo es tal que, estando en buena forma física, funcionamos mejor mentalmente, con lo que mejora nuestra función física.

guía de la anatomía

los músculos

Los músculos esqueletales confieren la forma a nuestro cuerpo. Se trata de músculos voluntarios que actúan bajo control consciente, como por ejemplo los músculos de brazos y piernas, y son diferentes de los músculos involuntarios, como los del corazón y del aparato digestivo. Cada músculo está formado por haces de fibras musculares elásticas, cada una de ellas rodeada por una membrana celular y unidas por tejido conectivo. Los músculos están unidos en los extremos a los huesos por estructuras de tejido

los músculos superficiales

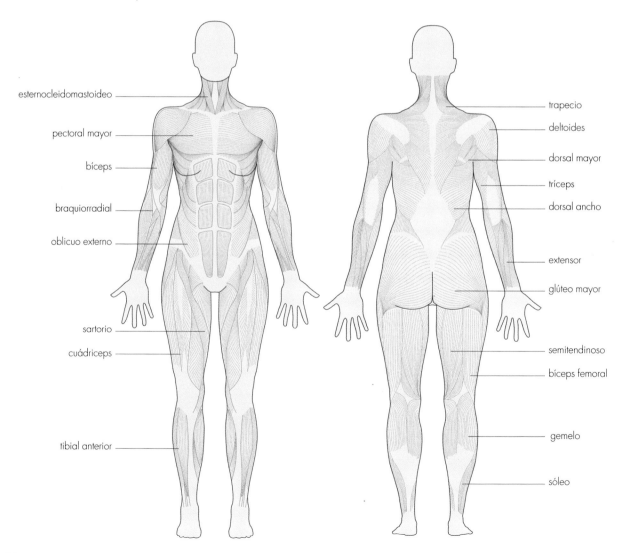

esternocleidomastoideo

pectoral mayor

bíceps

braquiorradial

oblicuo externo

sartorio

cuádriceps

tibial anterior

trapecio

deltoides

dorsal mayor

tríceps

dorsal ancho

extensor

glúteo mayor

semitendinoso

bíceps femoral

gemelo

sóleo

conectivo muy resistentes llamadas tendones. Los puntos en los cuales los músculos se unen a los huesos se denominan origen (el hueso que el músculo no mueve) e inserción (el hueso que el músculo mueve cuando se contrae). Cuando la función corporal es normal, los músculos se mueven en pares o grupos, contrayéndose y relajándose para propulsar al cuerpo. Los músculos se contraen respondiendo a una orden del cerebro. Las fibras se van uniendo y disminuyen el largo y el ancho del músculo, provocando el movimiento. El músculo que se contrae se denomina sinergista y el que se relaja durante ese mismo movimiento, antagonista. Los sinergistas y antagonistas cambian según el movimiento de

que se trata. Cuando los músculos permanecen contraídos se dice que hay un aumento en el tono muscular. Para funcionar, los músculos necesitan que la sangre contenga grandes cantidades de glucosa y oxígeno pues producen desperdicios de dióxido de carbono, ácido láctico y urea, que son transportados por el sistema venoso y la linfa. Cuando la actividad muscular se encuentra disminuida, algunos de estos desperdicios permanecen en los músculos, provocando rigidez e impidiendo que las fibras se deslicen acercándose unas a otras con facilidad.

Guía de anatomía

pulmones
Los pulmones son estructuras esponjosas, protegidos por las costillas y en los que introducimos aire. A través de los pulmones el oxígeno entra en el torrente sanguíneo y se expira el dióxido de carbono.

corazón
El corazón es un músculo. Funciona como una bomba que se contrae para hacer circular la sangre oxigenada por el cuerpo y para devolver sangre sin oxígeno a los pulmones.

hígado
La función del hígado es absorber nutrientes de la sangre, descomponer grasas, carbohidratos y proteínas, almacenar vitaminas y desintoxicar la sangre. Está también relacionado con la producción de bilis.

intestino grueso
El intestino grueso está relacionado con la absorción de agua, vitaminas y minerales, que pasan al hígado. Los desechos pasan por él.

riñones
Los riñones están relacionados con el filtrado de los productos de desecho y con la absorción de agua, glucosa, proteínas y vitaminas. Su función es conservar una determinada cantidad de agua en el cuerpo y devolverla a los tejidos, mientras que el sobrante se elimina en forma de orina.

estómago
El estómago almacena y digiere los alimentos, descomponiéndolos mediante enzimas y preparándolos para ser procesados en el intestino delgado.

intestino delgado
El intestino delgado sigue descomponiendo los alimentos mediante enzimas y digiere los azúcares, las grasas y las proteínas. Aquí es donde se absorben la mayoría de los nutrientes.

el esqueleto

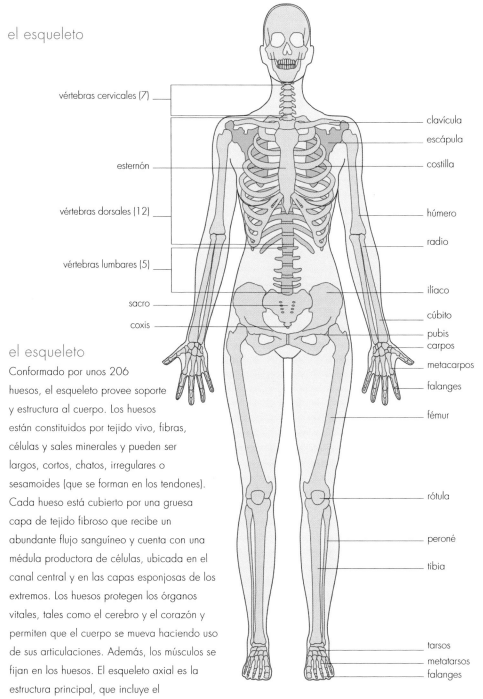

vértebras cervicales (7)

esternón

vértebras dorsales (12)

vértebras lumbares (5)

sacro

coxis

clavícula

escápula

costilla

húmero

radio

ilíaco

cúbito

pubis

carpos

metacarpos

falanges

fémur

rótula

peroné

tibia

tarsos

metatarsos

falanges

el esqueleto

Conformado por unos 206 huesos, el esqueleto provee soporte y estructura al cuerpo. Los huesos están constituidos por tejido vivo, fibras, células y sales minerales y pueden ser largos, cortos, chatos, irregulares o sesamoides (que se forman en los tendones). Cada hueso está cubierto por una gruesa capa de tejido fibroso que recibe un abundante flujo sanguíneo y cuenta con una médula productora de células, ubicada en el canal central y en las capas esponjosas de los extremos. Los huesos protegen los órganos vitales, tales como el cerebro y el corazón y permiten que el cuerpo se mueva haciendo uso de sus articulaciones. Además, los músculos se fijan en los huesos. El esqueleto axial es la estructura principal, que incluye el cráneo, la columna vertebral y las costillas. El esqueleto apendicular provee el soporte para brazos y piernas, incluye la cintura escapular y la pélvica y se mueve con mayor libertad. Las vértebras de la columna se dividen en siete cervicales, que son soporte del cuello y del cráneo (la séptima cervical es la protuberancia que se ubica debajo de la base del cuello); doce son las llamadas dorsales, a las cuales se unen las costillas; cinco lumbares, que constituyen el apoyo principal del cuerpo; cinco sacras, que se unen para formar el sacro y que distribuyen el peso del cuerpo hacia las caderas; y las cuatro coxígeas, que se unen para formar el coxis.

articulación del hombro

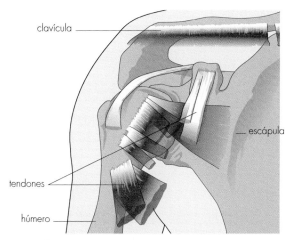

clavícula

escápula

tendones

húmero

articulación de la rodilla

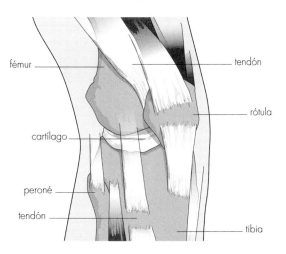

fémur

tendón

rótula

cartílago

peroné

tendón

tibia

articulaciones

La articulación es el punto de contacto de dos huesos. La más común es la sinovial. En ella los huesos se unen en una cavidad rodeada por una membrana que segrega un líquido que protege el cartílago y reduce la fricción durante el movimiento. El líquido está en una cápsula fibrosa y sostenido por tendones y ligamentos. Las que son del tipo redondo en una cavidad, como las del hombro y la cadera, permiten gran variedad de movimientos. En ese caso, la cabeza redondeada de un hueso coincide con una cavidad en el otro. En el hombro y la rodilla hay articulaciones de tipo bisagra. La superficie de los huesos se desliza la una hacia la otra, permitiendo movimientos más limitados.

el sistema nervioso

El sistema nervioso consta de un sistema nervioso central (el cerebro y la médula) y un sistema nervioso periférico (los nervios craneales y espinales, que se van ramificando hacia todas las áreas del cuerpo). Para responder a los estímulos, los receptores nerviosos de la piel, el tejido blando y los músculos envían impulsos a través de los nervios sensitivos hacia el sistema nervioso central. Para responder a las señales del cebro, los nervios motores envían impulsos hacia los músculos y producen movimiento y actividad. El sistema nervioso autónomo se ocupa de los movimientos involuntarios de los órganos, los vasos sanguíneos y las glándulas. Se divide en sistema nervioso simpático, que gobierna las respuestas involuntarias tales como el aumento

del ritmo cardíaco, la respiración y el sudor, y el sistema nervioso parasimpático, que se ocupa de la reducción de la actividad, y de procesos tales como la digestión y el descanso. Estos sistemas trabajan juntos para mantener una función corporal equilibrada.

circulación sanguínea

El sistema cardiovascular está integrado por el corazón; las arterias, que llevan la sangre oxigenada del corazón; las venas, que llevan la sangre sin oxígeno, y los capilares que proveen nutrientes a los tejidos y depuran los desperdicios. La sangre se compone de plasma; glóbulos rojos, que llevan el oxígeno desde los pulmones a los tejidos y células y quitan el dióxido de carbono; glóbulos blancos, que son importantes para el sistema inmunitario que combate las bacterias y segrega anticuerpos, y las plaquetas, responsables de la coagulación. El corazón, que actúa como una bomba, tiene cuatro cavidades, dos que se ocupan de la circulación a través de los pulmones y dos de la circulación hacia el resto del cuerpo. La sangre es bombeada hacia las arterias a alta presión, mientras que el sistema venoso actúa a una presión más baja. El sistema linfático fluye a través de su propio sistema de vasos, drenado a través de conductos. Existen ganglios y glándulas que filtran el fluido, produciendo linfocitos que neutralizan las bacterias. El flujo es ayudado por la contracción muscular.

preparación para el masaje

dónde dar un masaje

En teoría, se puede dar un masaje en cualquier parte. Todo depende del tipo de masaje de que se trate. Si usted, por ejemplo, solamente va a dar un rápido masaje en cuello y hombros o en las manos, puede hacerlo dondequiera que esté. Sin embargo, debe seguir algunos principios básicos, como que su compañero se encuentre sentado en el suelo o en una silla, siempre con la espalda apoyada y en una postura que le resulte cómoda; asegúrese de que no se deslice, sosteniendo la frente o el pecho con la mano en caso de que sea necesario. Usted puede dar un masaje al aire libre, en la oficina o en cualquier otro lugar. También es necesario que usted esté en una posición en la que tenga libertad de movimiento y que no deba torcerse ni hacer esfuerzos. Sin embargo, si va a dar un masaje en todo el cuerpo, debe elegir el lugar con más cuidado. Debe escoger un lugar con espacio suficiente para que su compañero se tienda y usted pueda moverse a su alrededor. Preferiblemente el lugar debe ser silencioso, cómodo y cálido y no deben ser interrumpidos. El suelo de una sala o un dormitorio es adecuado. No obstante, la superficie donde se da el masaje debe ser suficientemente firme como para que su compañero no se hunda. Por lo tanto, no utilice la cama si esta es mullida. Si usted está pensando en dar muchos masajes, entonces vale la pena invertir en una camilla para masajes. Es menos íntimo, pero su espalda deberá esforzarse menos.

La postura es muy importante, ya que, además de evitar esfuerzos, el mantener la columna recta y relajada lo ayudará a mejorar la calidad del masaje. Si usted es la persona que lo hace, es muy importante que se sienta cómodo. De modo que si su casa le resulta más cómoda porque tiene las cosas a mano, conoce los movimientos y puede controlar el tiempo, pídale a su compañero que se traslade hasta allí.

el mejor momento para dar un masaje

El mejor momento es cuando usted se siente descansado y deseoso de hacerlo. Algunas personas prefieren dar o recibir los masajes por la mañana, mientras que otras los prefieren más tarde. Un masaje en el cuello y los hombros se puede dar prácticamente en cualquier momento. Para un masaje corporal, el momento también es variable, aunque teniendo en cuenta ciertas consideraciones. Evite los masajes después de una comida copiosa. Esto es particularmente importante para el que recibe el masaje, ya que su cuerpo está dirigiendo la comida y la presión puede resultar incómoda. Tampoco se debe beber alcohol antes o inmediatamente después de un masaje. Beber antes de un masaje disminuye los efectos del mismo y acelera el proceso de absorción, pudiendo llegar a crearle malestar. Inmediatamente después de un masaje, la bebida también tiene un efecto negativo, ya que el alcohol lo afectará mucho más rápidamente. (El masaje puede ayudarlo con los efectos de una leve resaca, ya que colabora a la limpieza del organismo, pero si se trata de algo más severo, el cuerpo estará demasiado sensible.)

El masaje debe hacerse cuando las dos personas tengan tiempo, lo cual significa disponer de al menos 90 minutos (hasta una hora para un masaje prolongado, 15 minutos antes y 15 después). También se deben tener en cuenta los efectos del masaje. Si su compañero debe ir a trabajar, un masaje de relajación profunda puede ser desaconsejable. A algunas personas, sin embargo, les gusta recibir un masaje antes de trabajar o en el horario del almuerzo, para relajarse antes de algún trabajo importante o para estar en forma al ponerse en actividad. Esto es bueno, siempre y cuando se elija un masaje más estimulante. Es importante que usted conozca estos datos de antemano. Por supuesto, usted también debe tener en cuenta sus propias necesidades. No dé masajes demasiado tarde por la noche, ya que tienen un efecto estimulante. Si bien el masaje puede ayudarlo a cambiar su estado mental, cuando usted está preocupado, atareado, cansado o de mal humor, no es momento para poner en juego tanta energía.

elementos necesarios

Para poder trabajar con tranquilidad, debe tener preparadas las cosas de antemano. Necesitará una superficie firme pero cómoda, así es que deberá comenzar disponiendo una colchoneta de espuma de goma o un pequeño acolchado sobre el suelo. También puede utilizar una sábana para cubrir la superficie, toallas para cubrir a su compañero, almohadas o almohadones para la cabeza o las piernas y, posiblemente, un almohadón para arrodillarse. El aceite debe estar a temperatura ambiente, por lo que debe tener algo con que calentarlo en caso necesario. Necesita además luz suave, toallitas de papel para quitar el exceso de aceite y un lugar para lavarse las manos. Si tiene contestador automático, no olvide conectarlo. También es buena idea tener un reloj a la vista y fijar un tiempo límite antes de comenzar. Es posible que el tiempo se le vaya de las manos y eso puede ser cansado para usted y para su compañero, que comenzará a preguntarse cuándo va a acabar el masaje. Agregue toques personales a la habitación, tales como flores, música o un quemador para aromaterapia. Estos pueden parecer detalles insignificantes, pero esos detalles son los que hacen más agradable la situación y nos disponen a concentrarnos en el masaje.

antes de comenzar

Antes de comenzar un masaje, acuerde con su compañero un tiempo límite y asegúrese de saber, por ejemplo, si tiene que ir a trabajar después del masaje o si no quiere aceite cerca del rostro o el cabello. También es necesario que usted formule algunas preguntas antes de comenzar. Cerciórese del estado de salud de su compañero y averigüe acerca de la medicación que puede estar tomando o enfermedades que puede estar cursando. Averigüe si desea masaje en algunas zonas en particular o si hay zonas que debe evitar. Aunque conozca bien a su compañero, no deje de lado estas preguntas.

contraindicaciones

Se trata de circunstancias en las cuales debe ser especialmente cuidadoso, o en las que debe evitar por completo el masaje. En general, si usted es una persona sensible, no causará ningún daño.

embarazo: El masaje durante el embarazo puede sentar muy bien. Sin embargo, durante todas las etapas del mismo será necesario trabajar con suavidad. Evite los masajes sobre el abdomen durante los primeros cuatro meses. Durante este tiempo, limítese a apoyar las manos y hacer movimientos circulares suaves. Controle con cuidado la lista de aceites esenciales. Según la etapa del embarazo, deberá adaptar la posición de masaje de su pareja.

enfermedades: No masajee directamente sobre un tumor o una erupción de la piel. Tampoco lo haga si su compañero padece una enfermedad cardíaca. Los masajes pueden ser beneficiosos para el corazón, pero antes de practicarlos debe pedir consejo profesional. Si tiene alguna duda, consulte a su médico.

venas varicosas: No masajee sobre las venas varicosas. Limítese a pasar las manos suavemente sobre la pierna.

dolores: Sea práctico. No trate de curar. Si su compañero tiene dolores persistentes, problemas de columna o dolores musculares, o si experimenta algún dolor durante el masaje, consulte a su médico.

Finalmente asegúrese de que sus movimientos sean libres, quítese cualquier joya (su compañero debe hacer lo mismo) y asegúrese de tener las uñas limadas. El perfume fuerte también puede perturbar a su compañero. Lávese las manos siempre antes y después de cada masaje.

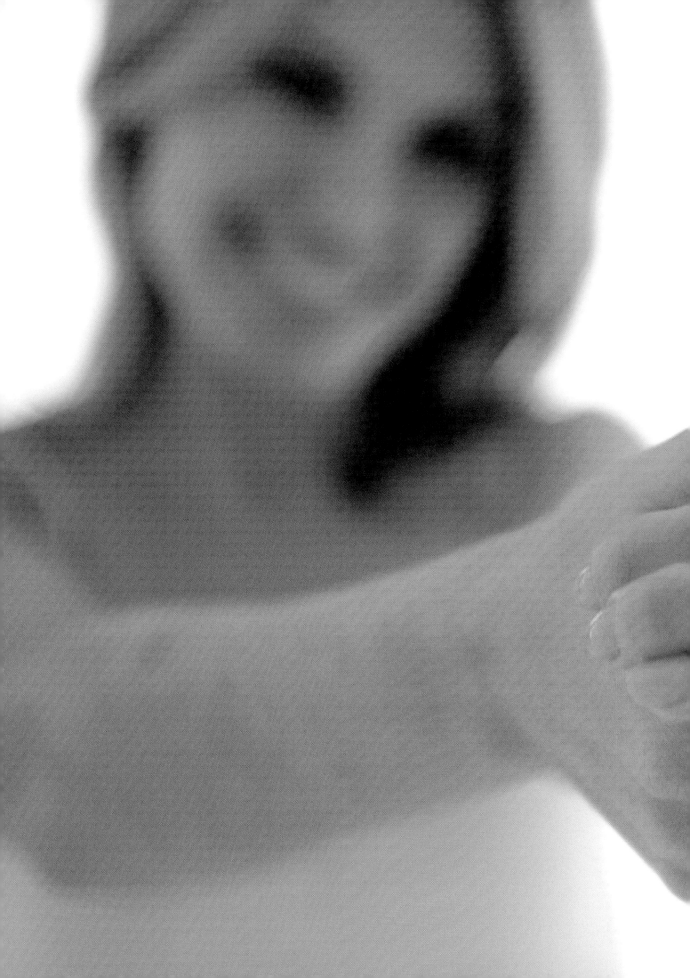

para comenzar

Un buen pasaje requiere un poco de preparación. El esfuerzo que en esto invierta, nunca se perderá. Usar aceites es agradable, pero también necesita un poco de información para ello. Primero debe probar usted mismo los aceites y luego podrá comenzar a experimentar. De la misma manera, probar sobre usted mismo las técnicas de masaje y aprender más sobre su cuerpo es una parte inevitable del proceso de masaje. Cuanto más sepa acerca de usted mismo y cuanto más desarrolle las sensaciones de sus manos, más éxito tendrán sus masajes. No solo usted aprenderá más, sino que además su compañero sentirá su entusiasmo y se beneficiará con el esfuerzo que usted ha hecho.

aceites

La selección y el uso de los aceites forma parte de la preparación para el masaje. El aceite se utiliza para facilitar el deslizamiento de las manos sobre el cuerpo del compañero sin tirar de su piel. A la mayor parte de las personas les gusta sentir el aceite, aunque su uso no es imprescindible. Algunas usan talco y algunas técnicas se pueden practicar a través de la tela. Sin embargo, si usted prefiere usar aceites, es bueno tener preparada una selección antes de comenzar.

El aceite básico se llama base y generalmente es un aceite vegetal o de nuez. También se puede usar aceite mineral, pero la piel no lo absorbe con tanta facilidad. Los aceites base más populares son el de semillas de uva y el de almendras dulces. Personalmente, este último me resulta un poco empalagoso y prefiero el de semillas de uva con el agregado de un cinco o diez por ciento del de almendras. También se pueden utilizar aceites de zanahorias, semillas de damascos o duraznos, palma, germen de trigo o de jojoba, que son mucho más ricos. No se recomienda utilizarlos sobre superficies grandes, pero son excelentes para mezclarlos con otros. Se puede utilizar una cucharada de aceite de germen de trigo como antioxidante, para preservar las mezclas.

Los aceites también se pueden usar como vehículo de aceites esenciales. Esto quiere decir que en ellos se disuelve un aceite esencial y así se logra que penetre mejor en la piel. Tampoco es imprescindible usar esencias, pero son deliciosas y realzan el masaje. Los aceites esenciales son esencias de plantas que suelen extraerse a través de la destilación por vapor. Cada aceite contiene la fuerza vital, la personalidad y la cualidad de la planta de la cual se lo extrae. El aceite es producido por glándulas del interior de la planta, ya sea en las raíces, las hojas o las flores. Los aceites son muy concentrados y potentes y nunca los debemos utilizar directamente sobre la piel, ya que pueden causar irritación. Cuando la concentración es demasiado alta, pueden tener un efecto contrario al buscado. Cada aceite tiene una tasa de volatilización, es decir, un tiempo que tarda en evaporarse, y estas tasas se dividen en notas alta, media y base. Las notas máximas tienen un alto índice de volatilización y una vibración mayor. Tienden a ejercer un efecto inmediato sobre la mente y generalmente son estimulantes y aceleradores. Las notas medias se usan para ayudar funciones orgánicas, ya que tienen un efecto sedante y se usan para fijar las notas altas en las mezclas. Los aceites esenciales se pueden utilizar por separado pero, cuando se los mezcla, interactúan y llegan a cambiar la calidad. Habitualmente en una mezcla se utilizan entre dos y cuatro aceites esenciales. Cuando se utilizan cuatro, al menos uno debe tener nota media. Si bien la aromaterapia es un arte en sí mismo, los aceites esenciales se pueden usar para crear estados de ánimo, estimular o relajar y, en tanto no se los tome como curativos, pueden ayudar en casos de trastornos leves, como sinusitis, irritaciones de la piel y dolores musculares.

El uso de los aceites es algo muy personal. Nos afectan a través del olor y de la absorción. El olfato es una de las funciones más primitivas del cerebro y una de las que más facilitan la evocación. Por lo tanto, cuando se mezclan aceites, las preferencias personales juegan un papel importante y es cuestión de ver qué mezcla le sienta bien. Si a usted o a un compañero no les agrada un determinado olor, no tiene sentido utilizarlo. De la misma manera, mientras usted da un masaje, absorberá naturalmente el aceite a través de sus manos, de modo que, si un aceite tiene consecuencias adversas, no debe utilizarlo. Use los aceites con cuidado, tomando solo la cantidad que sus manos y la piel de su compañero pueden absorber.

guía de aceites comunes y sus propiedades

aceites base

semillas de uva Es un aceite barato y liviano, que sirve como vehículo. Es excelente para un uso general. Se puede utilizar solo o como base para una mezcla.

almendras dulces Es otro aceite vehicular muy usado. Se lo puede emplear solo o como base para mezclas.

semillas de Damasco/albaricoque o durazno/melocotón Son aceites livianos, especialmente apropiados para el rostro. Se usan como parte de una mezcla.

palta/aguacate Es un aceite rico, y uno de los más penetrantes y fácilmente absorbibles. Es bueno para la piel seca. Se usa como parte de una mezcla.

zanahorias Rico en vitamina A. También es bueno para el rostro, pero no siempre se consigue con facilidad. Se usa sólo en pequeñas cantidades, como parte de una mezcla.

jojoba Es una forma de cera vegetal. Es muy rico y de costo relativamente bajo. Es mejor usarlo para el rostro.

germen de trigo Es un aceite rico, excelente para la piel seca. Tiene un alto contenido de vitamina E y es bueno para las cicatrices y las estrías. Se usa como parte de una mezcla y como antioxidante. No lo use si padece alergia al trigo.

Se puede utilizar la mayor parte de los aceites vegetales, como el de oliva, pero hay que cuidar que el olor no sea demasiado fuerte.

aceites esenciales

albahaca (nota máxima) La albahaca es un antiséptico y un tónico nervioso. Es indicada para el catarro, la sinusitis, la bronquitis y la indigestión. Tiene un efecto estimulante, aclara la mente y alivia la fatiga intelectual. Se debe evitar durante el embarazo.

bergamota (nota máxima) Es antiséptico, apropiado para las infecciones vaginales, la cistitis, la bronquitis, los problemas respiratorios y las irritaciones de garganta. Es sedante y al mismo tiempo estimulante y ayuda contra la ansiedad y la depresión. (No lo use directamente sobre la piel ni cuando esté expuesto directamente al sol.)

manzanilla (nota media) La manzanilla es excelente para aliviar inflamaciones, ayuda en los casos de úlceras, quemaduras, diarrea y migrañas. También alivia los dolores musculares y se puede usar en los casos de períodos menstruales dolorosos y en la piel seca o sensible. Es sedante y antidepresivo. Calma la mente y los nervios.

amaro (nota media) Es un tónico nervioso y un sedante. Es especialmente apropiado para la depresión nerviosa. Alivia los dolores menstruales y facilita los partos. Resulta particularmente útil en inflamaciones de la piel y es levemente euforizante. Se lo debe evitar durante el embarazo. (Usar en pequeñas cantidades.)

incienso (nota base) El incienso es astringente y se usa para la tos, el catarro, la cistitis y las infecciones vaginales. Rejuvenece la piel y tiene un efecto calmante sobre la mente ya que reduce la ansiedad, la tensión nerviosa o el estrés. Se puede usar durante el embarazo.

geranio (nota base) El geranio es un limpiador de la piel y un tónico, así como un diurético suave. Es útil para el dolor, las quemaduras, las inflamaciones de la piel, la diarrea y las úlceras y puede producir equilibrio hormonal durante la menopausia. Tranquiliza y estimula y se usa en estados de ansiedad.

jazmín (nota base) El jazmín es un antiespasmódico, sedante y antidepresivo. Alivia los dolores menstruales y promueve el parto. Se usa para la tos y el catarro y también para la sequedad de la piel. Tiene un efecto relajante, vigorizante y euforizante. Es mejor evitarlo durante los primeros meses de embarazo.

enebro (nota base) El enebro es un tónico nervioso, tiene un efecto sedante y es útil para situaciones de estrés y ansiedad. Es diurético, purificador de la sangre, tónico para la piel y astringente suave. Se lo puede usar para el reumatismo, la cistitis, la indigestión, la flatulencia, el eccema y la piel grasa. Se debe evitar utilizarlo durante el embarazo.

lavanda (nota base) La lavanda es uno de los aceites más útiles. Es antiséptico, alivia la inflamación de la piel y es excelente para las quemaduras e irritaciones (se puede aplicar directamente sobre la piel que no está cuarteada). También es bueno para el reumatismo, la cistitis y la diarrea. Alivia las náuseas, las jaquecas, los vómitos, los calambres y ayuda al parto. También es indicado para los dolores musculares. Tiene efectos sedantes y relajantes. Alivia la depresión y la tensión nerviosa. Si va a tener un solo aceite, debe ser este.

mejorana(nota base) La mejorana es sedante y un tónico nervioso. Se trata de un aceite cálido y reconfortante, útil contra el insomnio. Ayuda a la digestión, alivia los espasmos musculares y disminuye la presión arterial. Se lo puede utilizar contra resfriados, jaquecas, estreñimiento y menstruaciones dolorosas. Sin embargo, hay que evitarlo durante el embarazo.

neroli (nota base) El neroli es sedante, antidepresivo y calmante. Es excelente contra el insomnio, las palpitaciones, la ansiedad y la depresión. También es indicado contra la diarrea. Regenera la piel y se puede usar sobre piel seca o irritada.

rosa (nota base) La rosa es un eficiente antiséptico. Es limpiadora, suavizante, facilita la circulación, fortalece el sistema digestivo, alivia el estreñimiento y normaliza el flujo menstrual. Es muy útil para la piel envejecida y seca. Se lo puede usar en casos de tensión nerviosa, como antidepresivo y para aliviar el estrés. Es muy aconsejable utilizarlo en situaciones de duelo.

sándalo (nota base) El sándalo estimula la digestión, es útil contra la diarrea, la irritación de garganta, el catarro y la tos. Actúa como antiséptico, es efectivo contra las infecciones urinarias y excelente para nutrir la piel seca y aliviar la piel inflamada. Como sedante, se puede usar para la tensión y la ansiedad.

ylang-ylang (nota base) El ylang-ylang es sedante y euforizante. Se usa contra la ansiedad y la tensión nerviosa. Baja la presión arterial y es apropiado para la piel grasa. (Usarlo con prudencia.)

el uso de aceites

Los aceites base deben estar separados de los aceites esenciales hasta el momento de preparar la mezcla. Para preparar una botella de aceite se necesitan alrededor de 50 ml de aceite base. Se pueden agregar a este hasta 25 gotas de aceite esencial, pero no más. Resultará una cantidad suficiente para seis a ocho masajes. Para preparar cantidades menores, dividir por dos las medidas. Deben mantenerse en lugar fresco, en una botella oscura y bien tapada. La mezcla se puede conservar entre seis y ocho semanas. Para dar un solo masaje, agregar un par de gotas de esencia en un pequeño bol de aceite.

Una vez elegidos y mezclados los aceites, hay que calentarlos y verter una pequeña cantidad sobre las manos, nunca sobre el cuerpo del compañero. (Observación: no aplicar cerca de los ojos. Los aceites esenciales pueden producir escozor.) Los aceites esenciales deben ser puros. Son caros debido al proceso de extracción que requieren y por las cantidades que se necesitan para elaborarlos, pero duran mucho tiempo.

Cuando se trata de un objetivo terapéutico, es importante asegurarse de conseguir la mejor calidad (absoluta) de aceites, como el de rosa y el de jazmín. Estos tienen la ventaja añadida de poseer una fragancia maravillosa y es suficiente utilizar cantidades muy pequeñas, por lo cual el coste se equilibra. Los aceites esenciales se pueden usar de otras maneras, como por ejemplo en baños, como inhalación o haciéndolos arder. También resulta muy agradable perfumar con aceite la habitación donde se va a practicar el masaje.

recetas

A continuación enumeramos algunas de las recetas que usted puede probar antes de preparar las suyas. Todos los ingredientes se pueden conseguir fácilmente. Tenga en cuenta que algunos aceites tienden a fusionarse con otros con mayor facilidad. Al comienzo, es preferible usarlos de uno cada vez. Las recetas pretenden ser solamente una guía introductoria. Si va a tratar alguna patología, recuerde que debe buscar consejo profesional.

aceites base

aceite base
Para 50 ml de aceite base:
Aceite de semillas de uva 95 %
Aceite de almendras 5 %
Media cucharada de aceite de germen de trigo (optativa)

aceite base enriquecido
Aceite de semillas de uva 95 %
Aceite de palta/aguacate 5 %
Media cucharada de aceite de germen de trigo (optativa)

aceite base de lujo
Aceite de almendras 90 %
Aceite de damascos/albaricoques/melocotones 10 %
Media cucharada de aceite de germen de trigo (optativa)

aceites esenciales para diluir en 50 ml de aceite base:

aceite estimulante
Lavanda, 15 gotas
Romero, 10 gotas
Es excelente para relajar los músculos
y limpiar el organismo.

aceite calmante
Manzanilla, 15 gotas
Lavanda, 10 gotas
Ayuda a aliviar la tensión nerviosa,
las jaquecas, y la piel seca o irritada.

aceite estimulante
Romero, 12 gotas
Mejorana, 8 gotas
Albahaca, 5 gotas
Alivia el resfriado.

aceite vigorizante
y refrescante
Romero, 12 gotas
Bergamota, 9 gotas
Geranio, 4 gotas
Este aceite alivia la tensión nerviosa
y la fatiga mental.

aceite fragante
y suavizante
Rosa absoluta, 5 gotas
Neroli, 5 gotas
Geranio, 5 gotas
Tiene un aroma maravilloso, es
calmante y muy apropiado para
aliviar el estrés.

aceite relajante
Lavanda, 12 gotas
Geranio, 8 gotas
Sándalo, 5 gotas
Es un aceite sedante.

aceite relajante
Neroli, 11 gotas
Lavanda, 9 gotas
Manzanilla, 5 gotas
Sedante, ayuda a conciliar el sueño.

aceite estimulante
Romero, 11 gotas
Lavanda, 9 gotas
Enebro, 5 gotas
Ayuda a limpiar el organismo y es
indicado contra la celulitis.

aceite suavizante
Incienso, 16 gotas
Rosa absoluta, 9 gotas
Es maravilloso para la piel.

aceite estimulante
Albahaca, 11 gotas
Jazmín absoluto, 9 gotas
Rompe la regla de la nota media,
pero ¡tiene un perfume sensacional!

aceite estimulante
y suavizante
Lavanda, 14 gotas
Incienso, 7 gotas
Sándalo, 4 gotas
Es ideal contra el catarro.

aceite enriquecido
y suavizante
Lavanda, 9 gotas
Incienso, 6 gotas
Rosa absoluta, 6 gotas
Pachuli, 4 gotas
Es un aceite exquisito, relajante
y apropiado para la piel seca
o envejecida.

calentamiento

Antes de dar un masaje, es recomendable probar algunos movimientos sobre el propio cuerpo, para experimentar técnicas y grados de presión y ¡sentirse libre para cometer errores! En las siguientes páginas se muestran algunos ejercicios sencillos a través de los cuales usted podrá explorar los movimientos y las sensaciones de su cuerpo y algunos para el calentamiento de las manos. El calentamiento previo al masaje es fundamental. Lo más apasionante es que cuando alguien da un masaje, no usa solo las manos sino también la energía de todo su cuerpo. Siga los pasos necesarios para estimular el flujo de la energía a través de sus dedos antes del primer contacto. Para que su compañero esté cómodo, confíe plenamente en el contacto de sus manos.

relajación respiratoria Acostarse boca arriba, con las rodillas flexionadas y la zona lumbar bien pegada al suelo. Colocar ambas manos sobre el abdomen y respirar de forma natural. Dejar la mente en blanco, concentrándose solo en el movimiento ascendente y descendente del vientre.

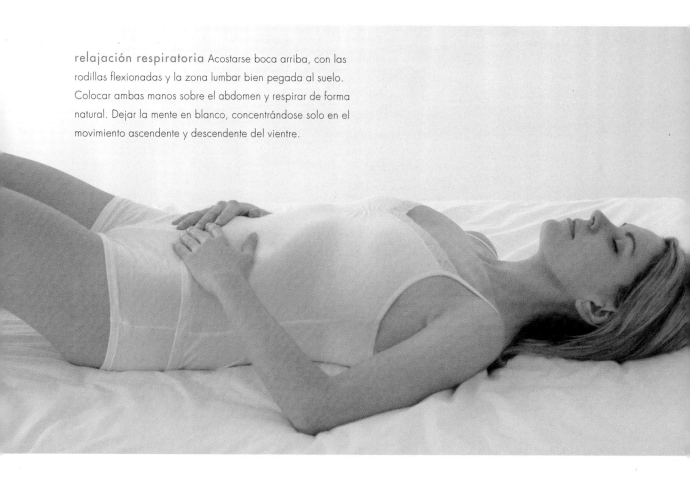

rotación de cabeza Sentarse en una posición cómoda con la espalda derecha. Llevar la cabeza lentamente lo más a la derecha posible y luego a la izquierda. Mantener la espalda recta. Notar cómo los músculos participan en el movimiento, cuánto puede volver la cabeza con comodidad y cómo se siente luego.

inclinación de cabeza Inclinar lentamente la cabeza hacia delante, con el mentón hacia el pecho y la espalda derecha. Concentrarse en los músculos, sentir su flexibilidad y el punto en que comienza el esfuerzo. Volver a levantar la cabeza lentamente.

inclinación de cabeza hacia atrás Lentamente, inclinar la cabeza hacia atrás. Mantener la boca y la mandíbula relajadas, para sentir la garganta despejada. Sentir el movimiento desde adentro y observar cualquier punto de tensión. Intentar hacer lo mismo con la mandíbula contraída y percibir la diferencia.

relajación de la mandíbula Observar el estado de la mandíbula con la boca cerrada. Sentir si los músculos se encuentran relajados o tensos. Abrir la boca, dejando caer la mandíbula y relajando los músculos. Mantener la boca relajada y observar si la sensación es nueva. Bostezar si se desea.

estiramiento Sentado o de pie con la espalda derecha, ir hacia arriba con un brazo, estirándolo lo más posible. Luego, estirar el otro brazo llegando cada vez lo más lejos posible. Observar qué músculos están trabajando.

flexión de cadera Acostarse cómodamente boca arriba. Lentamente, llevar la rodilla hacia el pecho, abrazando la pierna para ayudar al estiramiento. Sentir los músculos que están trabajando en ese movimiento, exhalar, relajarse y estirar un poco más. Hacer lo mismo con la otra pierna, notando cualquier diferencia en la flexibilidad de una y otra.

flexión de pies Con una pierna estirada hacia delante, flexionar el pie, llevando los dedos hacia usted. Observar el trabajo de los músculos y sentir el estiramiento en la parte posterior de la pierna. Exhalar, relajarse y flexionar un poco más. Observar cómo se siente y el estado de los músculos después del haber realizado el trabajo.

tensión de antebrazos Con los brazos delante del cuerpo, cerrar los puños y tensar los músculos lo más posible. Sentir cómo la tensión se expande y afecta al cuerpo. Exhalar y aflojar. Sentir el estado de los músculos. Tensar y aflojar varias veces.

apertura de manos Cerrar los puños suavemente y mantenerlos en esa posición durante un momento. Luego, abrir rápidamente las manos, estirando los dedos y pulgares el máximo posible. Repetir varias veces. Observar cómo se sienten las manos. Este es un buen movimiento para lograr flexibilidad.

balanceo de dedos Sostener las manos flojas frente al cuerpo y, comenzando por los meñiques, llevar los dedos hacia abajo, uno después del otro, hacia la base de la mano. Cuando lleguen hasta la base, comenzar de nuevo para crear un balanceo continuo. Este es un ejercicio para mantener los dedos ágiles y flexibles.

effleurage de piernas Sentado cómodamente, inclinarse y deslizar ambas manos hacia abajo por la pierna, hacia el tobillo. Llevar las manos hacia la parte posterior de la pierna e ir hacia arriba, hasta la parte posterior de la rodilla. Se puede presionar más en el movimiento ascendente. Este es un movimiento básico de *effleurage*.

torsión de dedos Mantener la mano en una posición que resulte relajada. Colocar el pulgar y el índice a ambos lados de un dedo de la otra mano. Ir retorciendo la piel del dedo con el pulgar y el índice, moviendo hacia arriba hasta llegar a la yema de cada dedo. Ir variando la presión y la velocidad.

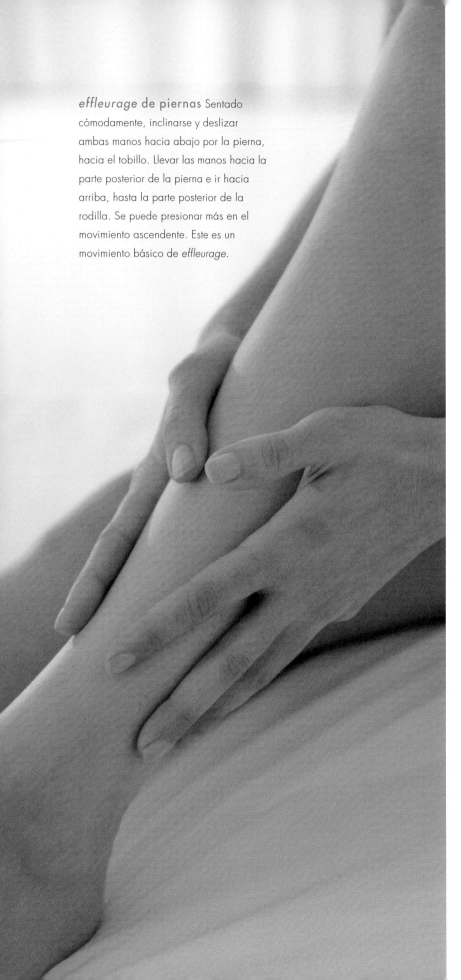

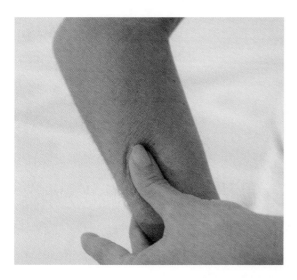

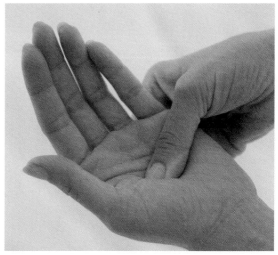

manipulación circular del antebrazo Relajar el antebrazo. Colocar el pulgar en el centro, entre los dos huesos del antebrazo, y realizar movimientos circulares sobre ese punto con la yema del pulgar. Ir realizando los movimientos sobre distintos puntos hacia la muñeca y probando con distintos grados de presión.

presión sobre la mano Colocar la palma hacia arriba y sostenerla con la otra mano. Colocar el pulgar en el centro de la palma, presionar hacia abajo y aflojar un poco. Seguir presionando sobre toda la palma, cambiando la velocidad. Utilizar el dedo pulgar, la punta y la yema para ir variando.

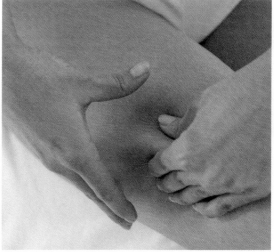

golpeteo del muslo Levantar la pierna ligeramente y, con las manos en direcciones opuestas, golpetear suavemente sobre el muslo una y otra vez. Golpetear alternando las manos y mantener los dedos relajados y abiertos. Los movimientos, sin embargo, deben ser limpios y secos. Golpetear con rapidez sobre todo el muslo.

amasado del muslo Sentarse en una posición tal que permita alcanzar el muslo con facilidad. Con una mano, tomar una porción del músculo y presionarla con los pulgares apartándola del hueso, para luego soltarla. Amasar el muslo alternando las manos y buscar las zonas donde el movimiento sea más efectivo.

1 estimulación de la energía

Antes de dar un masaje, es necesario sensibilizar las manos y estimular la energía. Para ello sentarse en una posición relajada y frotar las manos vigorosamente. Sentir el calor que se ha generado, particularmente en las palmas de las manos. Seguir friccionando unos minutos.

2 estimulación de la energía

Separar las manos a la altura de los hombros y moverlas hasta acercarlas de nuevo. Al tomar conciencia de una sensación entre las manos, detenerse un momento, como sosteniendo una pelota invisible entre ellas. Explorar esa sensación apartando y acercando las manos varias veces.

3 estimulación de la energía

Separar las manos colocándolas a la altura de los hombros y moverlas lentamente hasta acercarlas de nuevo. Al tomar conciencia de una sensación entre las manos, detenerse un momento, como sosteniendo una pelota invisible entre ellas. Explorar esa sensación apartando y acercando las manos varias veces.

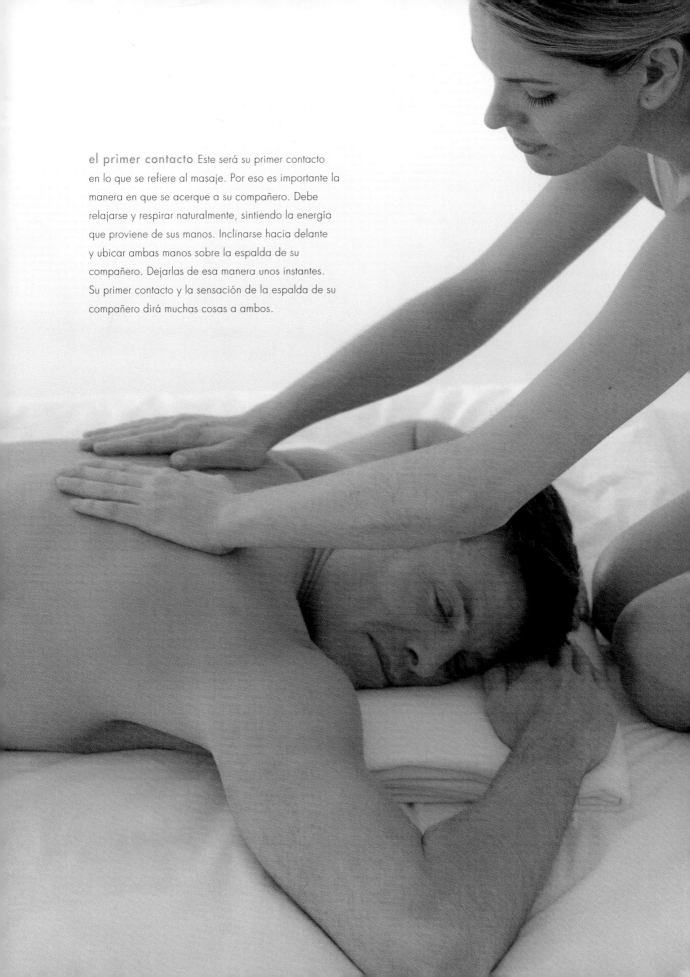

el primer contacto Este será su primer contacto
en lo que se refiere al masaje. Por eso es importante la
manera en que se acerque a su compañero. Debe
relajarse y respirar naturalmente, sintiendo la energía
que proviene de sus manos. Inclinarse hacia delante
y ubicar ambas manos sobre la espalda de su
compañero. Dejarlas de esa manera unos instantes.
Su primer contacto y la sensación de la espalda de su
compañero dirá muchas cosas a ambos.

técnicas simples

Las siguientes técnicas le darán la base necesaria para su primer masaje. Incluyen movimientos tales como el *effleurage*, el amasado y los movimientos de presión que aparecen en todo masaje, así como algunos movimientos más suaves. Pruebe primero las técnicas como parte de preparación, para familiarizarse con las partes del cuerpo en que se aplican y los momentos en que se usan. A medida que las practique, comience a investigar la cantidad de presión que necesita en cada caso. Eso variará de una persona a otra y también dependerá del área sobre la cual esté trabajando. Asegúrese de trabajar siempre en una posición cómoda. Ahora ya tiene en la palma de la mano los ingredientes esenciales para dar un masaje.

effleurage

El *effleurage* es el primer movimiento del masaje. Se usa para esparcir el aceite sobre el cuerpo y preparar al compañero, relajando sus músculos. También nos da la oportunidad de «sentir» las áreas tensas antes de comenzar. El *effleurage* siempre es muy suave, relajante y tranquilizador. Se practica sobre cada zona con las manos tibias y aceitadas, antes de masajear (nunca se debe echar el aceite directamente sobre el cuerpo). Utilice movimientos amplios y suaves que abarquen toda la zona, aplicando más presión cuando trabaja hacia el centro y menos cuando trabaja hacia abajo. Mantenga las manos relajadas y adáptelas a la forma de los músculos de su compañero. El *effleurage* es tranquilizador y podrá recurrir a él cuando no sepa con certeza qué técnica emplear.

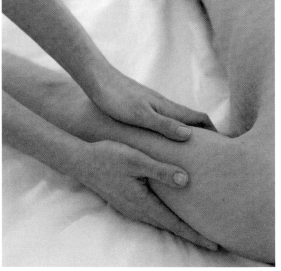

piernas Untar las manos con aceite y colocarlas juntas sobre el tobillo. Deslizarlas sobre la parte anterior de la pantorrilla alrededor de la rodilla, y por el muslo. Separar las manos en la parte superior del muslo. Con la mano exterior llegar hasta la cadera y volver hacia abajo, por la parte exterior, con una presión más suave.

brazos Frotar aceite en las manos. Colocar las yemas de los dedos juntas sobre la muñeca y deslizarlas hacia arriba, hasta encima del hombro. Separar las manos, y llevarlas hacia abajo, por el exterior del brazo, hasta la muñeca. Ir adaptando las manos a los músculos y las articulaciones del compañero.

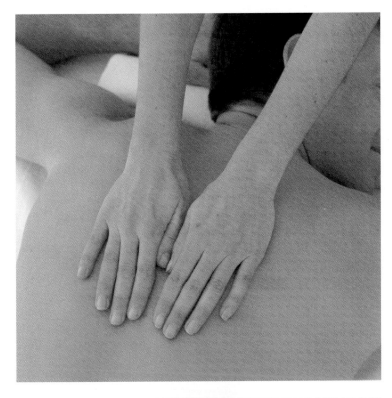

espalda Colocar aceite en sus manos y ubicarlas juntas en la parte superior de la espalda, con las puntas de los dedos hacia abajo. Deslizar las manos sobre los músculos, llegando tan lejos como se pueda y separando las manos en la zona lumbar. Llevar las manos hacia los costados del cuerpo, subiendo por los costados de las costillas y rodeando los omóplatos, hasta llegar a la posición original. Acariciar suavemente el cuello o los brazos.

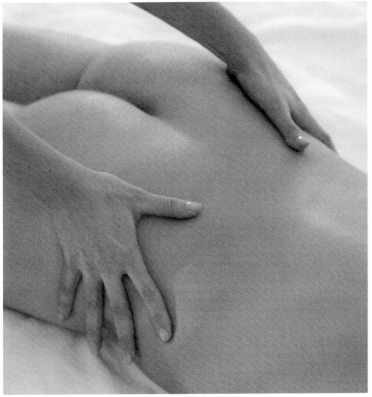

zona lumbar y caderas
Frotar las manos con un poco de aceite. Colocarlas juntas en el centro de la zona lumbar, con las puntas de los dedos juntas. Mover en círculos hacia arriba, separar las manos y llevarlas hacia las caderas. Deslizar las manos sobre las caderas y continuar los movimientos circulares hacia atrás, sobre las nalgas. Volver a la zona lumbar, juntando las puntas de los dedos.

amasado

El amasado es un movimiento que realmente se parece un poco al trabajo con una masa. Las manos trabajan alternativamente, apretando y enrollando los músculos. Es mejor aplicarlo sobre áreas suaves y carnosas, como las nalgas y los muslos, pero se puede usar también en áreas más pequeñas, como los hombros y los pectorales. Los movimientos se pueden practicar con firmeza, aplicando mayor presión con los pulgares, pero deben evitarse los movimientos de amasado directamente sobre el hueso. Hay que asegurarse de que los músculos sobre los cuales se trabaja tengan la cantidad adecuada de aceite. Si tienen poco, puede pellizcar la piel. Si tienen demasiado, sus manos resbalarán. Ponga el peso de su cuerpo al servicio del movimiento, de modo que no toda la fuerza dependa de sus manos. Este es un masaje profundo y relajante, que se utiliza después de haber preparado los músculos y es efectivo para aflojar tensiones.

nalgas Sobre esta región blanda y muscular se puede aplicar un amasado firme. Debe inclinarse sobre su compañero; presione los músculos con su pulgar y oprima. Luego enrolle los músculos con los dedos, llevándolos hacia usted. Repetir los movimientos con la otra mano, trabajando rítmicamente.

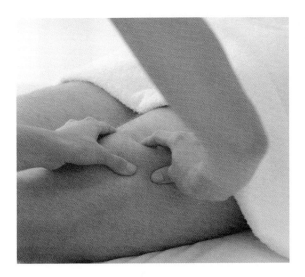

muslos Colocar las manos sobre los músculos de la parte posterior del muslo. Oprimir con el pulgar, tomando los músculos en forma de rollo con los dedos y continuar el movimiento alternando las manos. Amasar los muslos, pero solo en las áreas musculares, evitando la parte interior, la rodilla y la cadera.

abdomen Inclinarse sobre el compañero. Tomar un rollo de carne del costado del abdomen, entre la caja torácica y la cadera. Presionar con el pulgar y enrollar con los dedos, alternando ambas manos. Realizar movimientos pequeños. Cuidar de no profundizarlos demasiado y de no trabajar directamente sobre el abdomen.

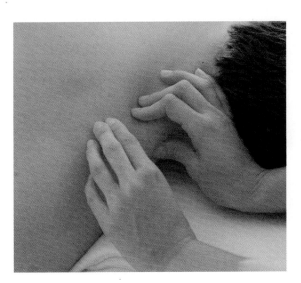

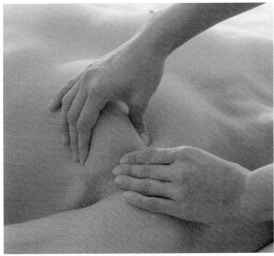

hombros Tomar los músculos de la parte superior del hombro. Presionar con el pulgar, enrollando hacia usted con las puntas de los dedos. Amasar a lo largo del hombro, hacia el cuello y la espalda. Sus movimientos deben ser bastante apretados. Oprima y enrolle los músculos con firmeza para aliviar tensiones.

pecho Colocar las manos sobre los músculos pectorales. Presionar con el pulgar y enrollar con los dedos. Amasar la zona alternando las manos y manteniendo movimientos precisos. No amase sobre los pezones y, en las mujeres, evite los senos. Oprima y levante los músculos para lograr un mayor alivio.

torsión

Los movimientos de torsión implican un movimiento de las manos que empujan, tiran y retuercen en direcciones opuestas y tiene el efecto de presionar los músculos entre las manos, que se mueven acercándose una a otra. Se usan después de los movimientos de amasado y de presión, cuando los músculos están flojos, y a menudo se utilizan para llevar las manos de una zona del cuerpo a otra. Estos movimientos son tan satisfactorios al darlos como al recibirlos. Cuando se retuerce una zona, el que da el masaje puede sentir cómo la tensión va desapareciendo de los músculos. La torsión se practica como una serie continuada de movimientos sobre áreas carnosas, donde hay suficiente masa muscular para trabajar. No obstante, también se puede utilizar en los brazos, aplicando una presión más ligera.

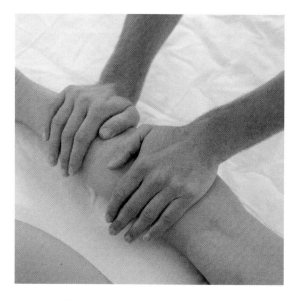

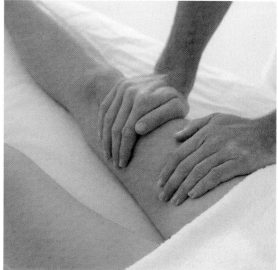

pantorrillas Colocar ambas manos sobre la parte posterior de las pantorrillas, una de ellas en la zona más cercana a usted y la otra más alejada. Con la mano más próxima, empujar, mientras con la otra mano tira en dirección a usted. Mientras las manos se cruzan, retorcer el área y continuar el movimiento por toda la pantorrilla.

muslos Colocar las manos a ambos lados del muslo de su compañero, con los dedos hacia delante. Empujar con una mano y tirar hacia usted con la otra. Continuar el movimiento e ir cruzando las manos, para terminar con ellas nuevamente a ambos lados del muslo. Repetir con firmeza varias veces.

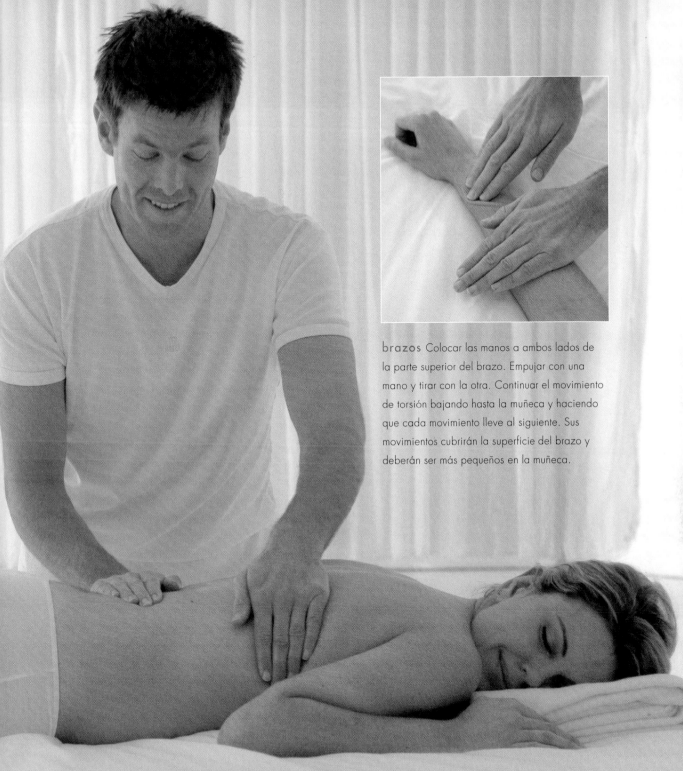

brazos Colocar las manos a ambos lados de la parte superior del brazo. Empujar con una mano y tirar con la otra. Continuar el movimiento de torsión bajando hasta la muñeca y haciendo que cada movimiento lleve al siguiente. Sus movimientos cubrirán la superficie del brazo y deberán ser más pequeños en la muñeca.

espalda Colocar las manos a ambos lados de la zona lumbar. Deslizar una mano hacia el centro de la espalda y empujar al mismo tiempo con la otra en dirección opuesta. Utilizar una presión firme para retorcer los músculos del medio. Continuar con el movimiento hasta que sus manos hayan llegado a los lados opuestos. Luego ir un poco más arriba y continuar con el movimiento hasta llegar a los hombros. Ir hacia abajo nuevamente.

tirar

El movimiento de tirar se usa para aflojar una zona en general más que un grupo específico de músculos. Generalmente se aplica después del amasado. Cuando realiza esta manipulación usted tira en dirección opuesta al cuerpo, de modo que este se mueve con sus manos. La manipulación debe comenzar por debajo del cuerpo e ir desplazándose hacia arriba, para relajar los músculos. Este movimiento siempre se hace partiendo de los costados del cuerpo, moviendo los músculos mientras se trabaja, y se puede utilizar para ir de una zona a otra. El movimiento de tirar se puede realizar en las manos, por ejemplo, o en el abdomen. También se puede recorrer el cuerpo con este tipo de manipulación e implementarse cada vez que no se esté seguro de cuál será la siguiente manipulación.

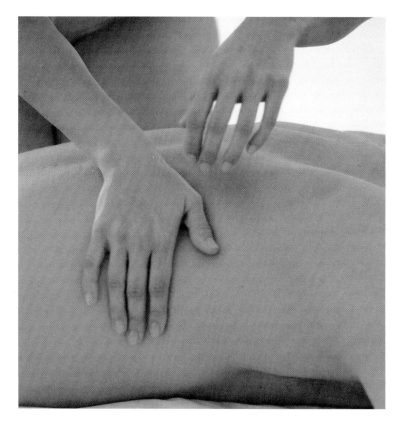

espalda Inclinarse sobre el compañero, colocando una mano bajo el cuerpo y otra justo arriba de la cadera. Luego, respetando las formas del cuerpo, tirar con la mano hacia arriba y hacia usted, levantando la zona ligeramente. Repetirlo con la otra mano, haciendo el movimiento ligeramente más alto. Seguir tirando, cruzando las manos, a lo largo de la espalda y hacia su parte superior.

costillas Inclinarse hacia delante y colocar una mano debajo de las costillas. Llevar la mano hacia arriba y deslizarla hacia el centro del pecho. Seguirla de cerca con la otra mano, repitiendo el movimiento varias veces. Llevar las manos a la parte superior del pecho y masajeando hacia los hombros.

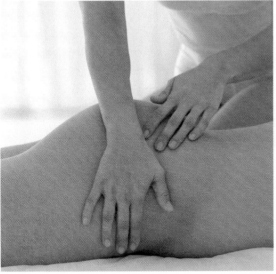

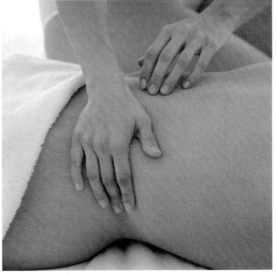

caderas Inclinarse sobre el costado del compañero. Colocar una mano bajo la cadera y levantarla hacia arriba y hacia usted, sobre la nalga. Repetir con la otra mano. Levantar varias veces, alternando las manos; el cuerpo ha de levantarse. Recorrer la cadera hacia arriba y hacia abajo. Acabar apartando las manos.

abdomen Inclinarse sobre el compañero y ubicar una mano por debajo del cuerpo, entre la caja torácica y la cadera. Levantar hacia usted, dirigiendo la mano hacia el abdomen. Seguir con la otra mano, repitiendo el movimiento varias veces. Cuando más pueda usted avanzar sobre el cuerpo, más agradable será.

apretar

Esta es generalmente la primera manipulación que se practica después del *effleurage*. Se usa para aflojar las tensiones de los músculos antes de pasar a otras manipulaciones relajantes. Los miembros se aprietan siempre en dirección al centro del cuerpo. Para obtener mejores resultados, hágalo a lo largo de todo el músculo, siempre aflojando la presión a medida que se acerca a las articulaciones.

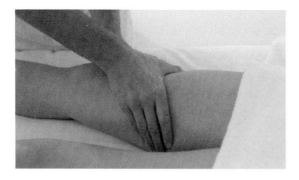

muslos Colocar las manos sobre la rodilla, con los pulgares hacia un lado y los dedos hacia el otro. Apretar hacia arriba, extendiendo las manos. Avanzar hacia la parte superior del muslo, separar las manos y rodear la cadera. Repetir avanzando hacia arriba.

pantorrillas Colocar las manos en la pierna, debajo de la pantorrilla, con los pulgares hacia un lado y el resto de los dedos hacia el otro. Apretar los músculos, formando una «V». Recorrer los músculos, aflojando la presión a medida que se acerca a la rodilla.

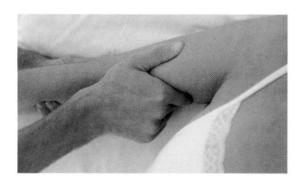

brazo Sostener el antebrazo y el codo. Colocar la otra mano en la parte delantera del brazo, al costado de los músculos que están por encima del codo. Apretar hacia arriba, presionando con el pulgar y oprimiendo el músculo entre el índice y el pulgar. Trabajar hacia arriba.

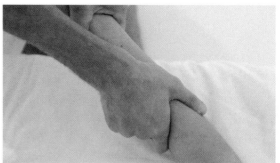

antebrazos Sostener el brazo por la muñeca. Poner la otra mano sobre el antebrazo, con el pulgar hacia fuera y los dedos hacia dentro. Apretar los músculos hacia el codo, presionando entre el índice y el pulgar. Repetir varias veces, disminuyendo la presión cerca del codo.

abrir

En esta manipulación los movimientos de apertura se practican de un costado al otro del cuerpo, aunque, cuando se realizan en secuencias, la manipulación se efectúa desde la parte superior del cuerpo hacia abajo. La apertura puede llevar nuestras manos hasta cualquier parte del cuerpo y se puede realizar en lugar de los movimientos de torsión. Luego se continúa con manipulaciones más suaves.

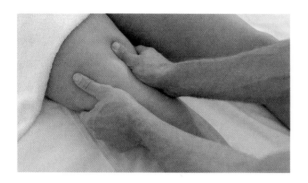

muslos Colocar ambas manos sobre la parte anterior del muslo, con los pulgares juntos en el centro y los dedos sujetando bien los músculos. Presionar hacia abajo y llevar hacia fuera, usando la base de las manos para ejercer una presión firme. Repetir arriba y abajo.

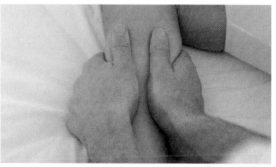

brazos Colocar las manos alrededor del brazo y los pulgares juntos en el centro, frente a usted y apuntando hacia arriba. Presionar y llevar los pulgares hacia fuera, hacia los costados del brazo. Repetir el movimiento llegando más abajo y continuar hasta la muñeca.

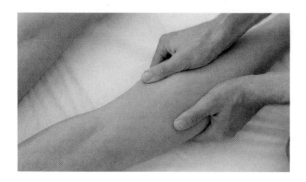

pantorrilla Poner las manos alrededor de la parte superior de la pantorrilla, con los pulgares hacia arriba. Apartar los pulgares, deslizándolos sobre el músculo hacia el resto de los dedos. Ir bajando por la pantorrilla, aflojando la presión en la parte inferior.

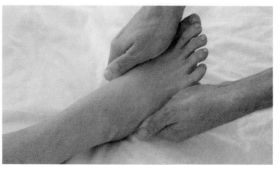

pie Juntar los pulgares sobre el empeine justo debajo del tobillo, con el resto de los dedos flexionados hacia abajo. Deslizar los pulgares hacia los lados del pie, estimulando y apretando los músculos. Repetirlo mientras se va bajando, sin presionar los dedos del pie.

movimientos circulares

Esta manipulación se utiliza para aumentar la relajación, por ejemplo en la zona del sacro, o para distender, por ejemplo en la zona del abdomen. Se puede hacer con ambas manos, formando círculos en direcciones opuestas, o bien con una mano sobre la otra. Las manos deben mantenerse siempre planas sobre la piel, aun cuando los círculos se tracen sobre el hueso. Estos movimientos se pueden usar para: aliviar, difundir suavemente los efectos del amasado, reemplazar las manipulaciones de tirar o llevar la atención y las manos de una zona a otra. También dan la sensación de movimiento y expansión, por ejemplo cuando se efectúan sobre las costillas, y confieren suavidad al masaje.

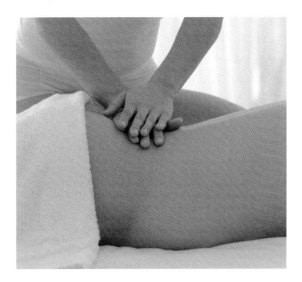

zona lumbar Colocar una mano encima de la otra sobre el sacro. Hacer círculos con las manos en sentido contrario a las agujas del reloj sobre el sacro y la zona lumbar, manteniendo las puntas de los dedos planas contra el cuerpo. Las manipulaciones deben ser precisas y se debe evitar salirse del centro de la espalda.

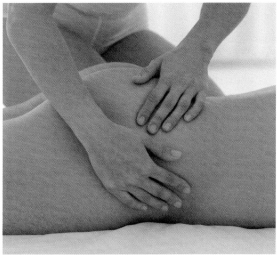

nalgas Inclinarse sobre el compañero. Colocar una mano sobre la cadera y efectuar círculos en sentido contrario a las agujas del reloj y, con la otra mano, en sentido opuesto. Mantener las manos planas y los movimientos firmes. Practicar círculos amplios sobre la cadera y las nalgas, alternando las manos.

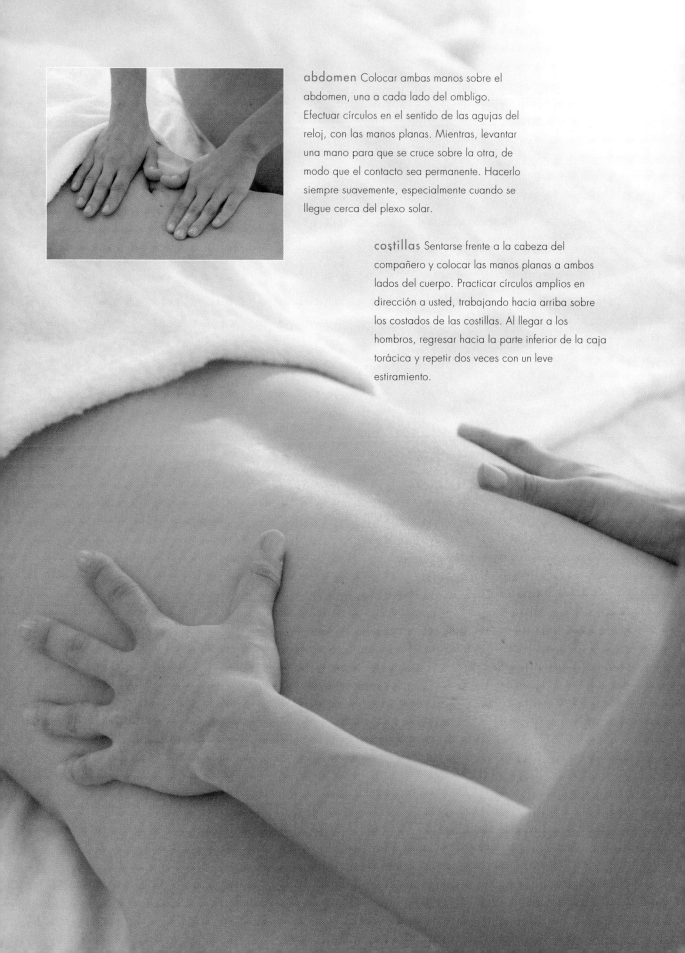

abdomen Colocar ambas manos sobre el abdomen, una a cada lado del ombligo. Efectuar círculos en el sentido de las agujas del reloj, con las manos planas. Mientras, levantar una mano para que se cruce sobre la otra, de modo que el contacto sea permanente. Hacerlo siempre suavemente, especialmente cuando se llegue cerca del plexo solar.

costillas Sentarse frente a la cabeza del compañero y colocar las manos planas a ambos lados del cuerpo. Practicar círculos amplios en dirección a usted, trabajando hacia arriba sobre los costados de las costillas. Al llegar a los hombros, regresar hacia la parte inferior de la caja torácica y repetir dos veces con un leve estiramiento.

acariciar

En esta técnica se deslizan las puntas de los dedos a lo largo de todo el cuerpo, alternando las manos para crear un efecto ondulante. Es uno de los masajes más suaves y más deliciosos que pueden practicarse. Se utiliza para concluir, luego de haber masajeado cada parte del cuerpo o como final de un masaje a una persona íntima. Realícelo siempre hacia abajo, levantando las manos para que los movimientos finalicen de una manera casi imperceptible. Esto no sólo nos hace sentir bien, sino que sirve para conectar la mente con el cuerpo y para quitar la tensión de los dedos de manos y pies. No prescinda de esta técnica.

espalda Comenzando por la parte superior, recorrer suavemente con las puntas de los dedos, levantando las manos ligeramente para comenzar con la siguiente manipulación. Acariciar hacia abajo la columna hasta la zona lumbar y repetir los movimientos dos veces más.

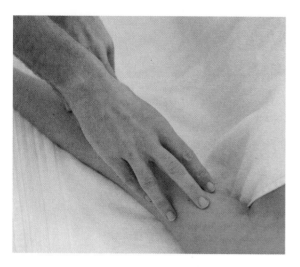

brazos Acariciar el hombro con los dedos y luego continuar suavemente por el brazo hacia abajo, hasta la muñeca. Alternar las manos, comenzando, cada vez un poco más abajo. Levantar los dedos después de cada movimiento, como si se acariciara a un gato. Terminar acariciando las puntas de los dedos.

piernas Comenzar el movimiento en la parte superior del muslo. Acariciar suavemente la pierna hacia abajo, sobre la rodilla y por la pantorrilla. Hacerlo alternando las manos con un ritmo constante. Acariciar la parte anterior del tobillo y seguir por el pie hasta los dedos. Esto confiere una sensación de conexión a toda la pierna.

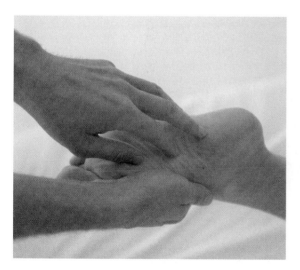

pies Sostener el pie con una mano, y con la otra acariciar desde el talón hasta los dedos en un solo movimiento. Repetir varias veces. Recuerde acariciar las puntas de los dedos de los pies y continuar el movimiento durante varios segundos. Los movimientos firmes evitarán las cosquillas.

manos Sostener la mano con la palma hacia arriba y con la otra mano acariciar suavemente desde la muñeca hasta las puntas de los dedos. Retirar la mano de los dedos muy suavemente y, al hacerlo, sentir que se quita la tensión del cuerpo. Estos movimientos pueden ser muy suaves y se continúan el uno al otro como olas.

presión

Los movimientos de presión se realizan con las yemas de los pulgares. Los pulgares pueden presionar alternativamente (como sobre la mano) o pueden colocarse uno sobre otro (como en la frente) allí donde no es necesario sostener el cuerpo. La presión se utiliza para relajar los músculos en un área específica y habitualmente pequeña. Esta técnica funciona mejor en zonas sensibles en las cuales no se puede usar el amasado ni se puede apretar ya que no son muy musculares. Este tipo de presión con los pulgares alivia las tensiones. Se puede aplicar sobre puntos específicos, aunque este no es el objetivo de la técnica. Los movimientos pueden ser lentos y profundos o bien más rápidos y suelen combinarse con manipulaciones de aflojamiento.

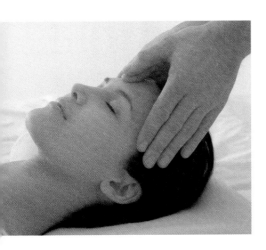

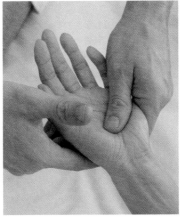

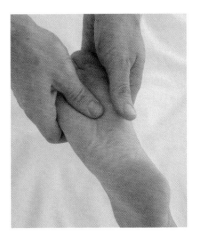

la frente Apoyar los dedos en la cabeza y colocar un pulgar sobre otro en el centro de la frente. Comenzar por encima de las cejas, presionando y aflojando. Seguir presionando, comenzando cada vez más arriba y continuar hasta la raíz de los cabellos. Repetir.

palmas Sostener la mano desde abajo y ubicar los pulgares sobre la parte superior. Presionar con todo el pulgar, aflojar y repetir el movimiento con el otro. Presionar alternativamente con ambos pulgares, aplicando bastante presión. La mayor parte de la fuerza se debe ejercer con las puntas.

plantas Sostener el pie con los dedos y ubicar los pulgares sobre la planta en dirección al talón. Presionar con todo el largo de un pulgar, aflojar y luego presionar con el otro, cubriendo la mayor parte de la planta que sea posible. Incluir el talón, pero teniendo mucho cuidado con el empeine.

rastrillado

En esta manipulación se forma con la mano una especie de garra y con ella se rastrilla el cuerpo. La manera en que se coloca la mano permite ejercer una buena presión con las puntas de los dedos. El rastrillado solo suele utilizarse sobre la espalda, las caderas y la parte superior de los muslos. A menudo se lo utiliza sobre la columna, como segunda parte de otra manipulación, tal como el planchado o los movimientos circulares, con el propósito de aliviar las tensiones de la espalda y de llevar nuevamente las manos a la zona lumbar. En las nalgas se puede utilizar junto con la técnica de tirar, luego de masajes relajantes. Hay que tener cuidado de no presionar demasiado y después aplicar movimientos suaves para contrastar.

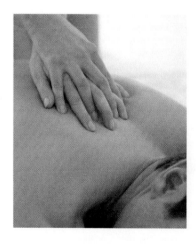  

espalda superior Formar una garra con la mano. Colocarla en la parte superior de la espalda, con los dedos abiertos hacia los costados de la columna. Entrelazar la otra mano, de modo que los dedos también toquen la espalda. Presionar con la punta de los dedos y llevar hacia abajo.

zona lumbar Abrir una mano, con los dedos a los lados de la columna, en medio de la espalda. Formar una garra y presionar con las puntas de los dedos. Colocar la otra mano un poco más abajo y, comenzando con la de más abajo, llevar ambas manos hacia abajo por la espalda. Levantar suavemente.

caderas Inclinarse sobre el compañero y colocar una mano justo debajo de la cadera. Levantar la muñeca y rastrillar hacia usted, sobre la nalga. Repetir con la otra mano. Continuar las manipulaciones sobre las nalgas y las caderas y luego rastrillar la parte superior de los muslos.

estiramiento simple

El estiramiento es un buen agregado para cualquier masaje corporal. Aunque trabajar sobre los músculos produce una sensación muy agradable, estos pueden continuar afectados por tensiones. El estiramiento actúa sobre las fibras que rodean las articulaciones y reduce las tensiones musculares, llevando al alargamiento. El estiramiento provee una sensación de expansión y hace que el cuerpo supere sus límites funcionales y que los músculos se relajen y aumenten su capacidad de movimiento. Siempre se lo debe practicar después del calentamiento y cuando ya se ha aliviado una parte de la tensión. Los movimientos para el estiramiento deben ser suaves y los músculos deben estar lo más relajados posible. Cuando sienta resistencia, deje de tirar e inténtelo nuevamente.

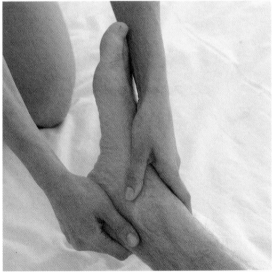

cuello Colocar las puntas de los dedos sobre la base del cuello, apuntando hacia abajo. Deslizar sobre los hombros y el cuello en un solo movimiento. Acomodar las manos sobre la base del cráneo. Sosteniendo con firmeza, pero sin lastimar, tire hacia usted y afloje, para lograr un estiramiento de la columna.

piernas Poner una mano bajo el talón levantando la pierna y colocar la otra sobre el empeine. Tirar en dirección a usted, ejerciendo la fuerza con la mano de abajo. Intentar que el movimiento salga de la cadera. Al sentir la resistencia de las articulaciones, aflojar y bajar la pierna. Repetir.

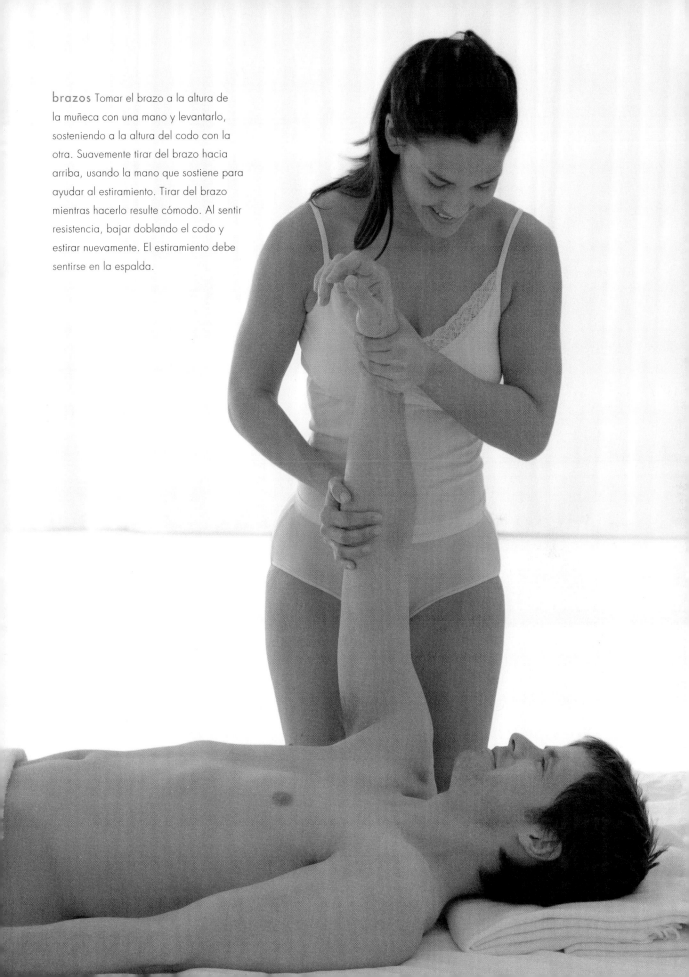

brazos Tomar el brazo a la altura de la muñeca con una mano y levantarlo, sosteniendo a la altura del codo con la otra. Suavemente tirar del brazo hacia arriba, usando la mano que sostiene para ayudar al estiramiento. Tirar del brazo mientras hacerlo resulte cómodo. Al sentir resistencia, bajar doblando el codo y estirar nuevamente. El estiramiento debe sentirse en la espalda.

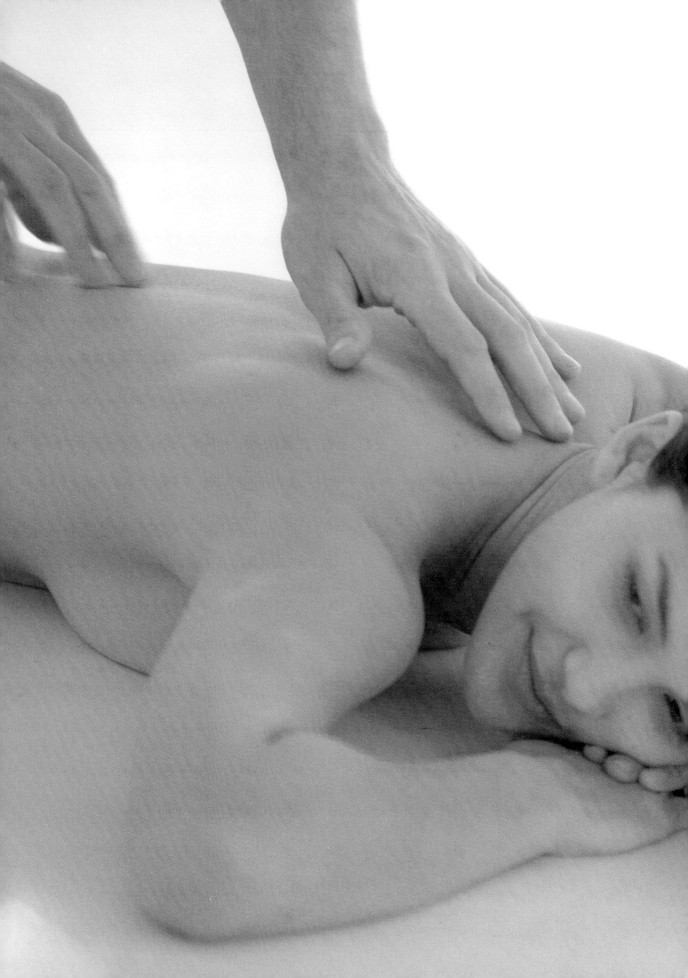

masaje simple

El masaje simple que se explica a continuación es un punto de partida, que incorpora las técnicas explicadas en las páginas previas en una secuencia que lleva unos 30 minutos. Aprenda primero estos movimientos simples, para más tarde practicar sus propias manipulaciones e idear sus propias secuencias, imprimiendo al masaje un estilo personal.

Cuando dé un masaje, asegúrese de hallarse en la posición correcta, con la espalda lo más recta posible, y de acompañarse con el peso de su cuerpo.

Aunque la mayor parte de las personas sostienen que les gusta la presión fuerte, comience por lo más suave y controle a su compañero con frecuencia. El masaje simple comienza por la espalda y es muy gratificante desde el comienzo.

la espalda

La espalda es la zona más grande e importante que usted masajeará toda de una vez; por eso el masaje está dividido en secciones correspondientes a los hombros, la zona lumbar y la columna. La espalda nos ofrece una gran oportunidad para ponernos cómodos con el masaje, probar técnicas y practicar manipulaciones amplias. A muchas personas les gusta que les masajeen la espalda y logran relajarse con facilidad. El masaje en la espalda da satisfacciones inmediatas debido a la amplitud de los músculos y enseguida se observan los beneficios. Como la espalda contiene muchas terminaciones nerviosas, cualquier masaje tendrá un efecto directo y profundo sobre todo el cuerpo del compañero.

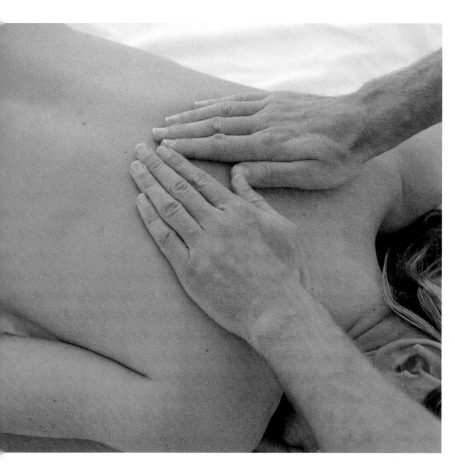

1 *effleurage* Colocarse junto a la cabeza del compañero. Frotar las manos con un poco de aceite tibio. Colocar ambas manos juntas en la parte superior de la espalda de su compañero y deslizarlas hacia abajo. Mantener las manos relajadas y planas, esparciendo el aceite y palpando los musculos del compañero.

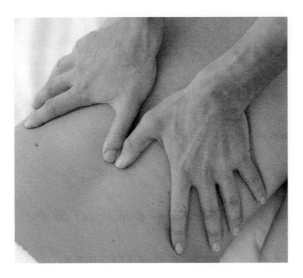

2 *effleurage* Deslizar las manos hacia la zona lumbar, separarlas y pasarlas alrededor de la cadera. Luego llevarlas hacia arriba, masajeando los costados. Levantar las muñecas para aumentar el contacto de sus dedos con el cuerpo del compañero. Al regresar, reducir ligeramente la presión.

3 *effleurage* Mientras desplaza las manos hacia la parte superior de la espalda, deslizaremos alrededor de los contornos de los hombros, volviendo a juntarlas a la altura del cuello y moviéndolas un poco hacia el exterior del cuerpo. Repetir por lo menos dos veces, aflojando los músculos para prepararlos para la siguiente manipulación.

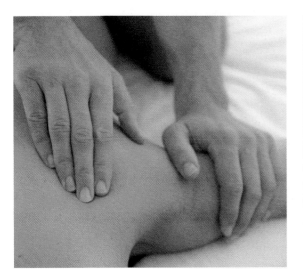

4 aflojar los hombros Colocarse al costado del compañero. Sostener la espalda suavemente con una mano y con la otra presionar, efectuar un movimiento circular y apretar alrededor del omóplato, usando los dedos o la palma de la mano. Esta es un técnica relajante, que afloja y suaviza los músculos.

5 amasar los hombros En la misma posición, amasar los músculos de la parte superior de los hombros del compañero, empujando con los pulgares y enrollando con los dedos en dirección a usted. Seguir masajeando por el hombro hacia el cuello. Los movimientos deben ser pequeños.

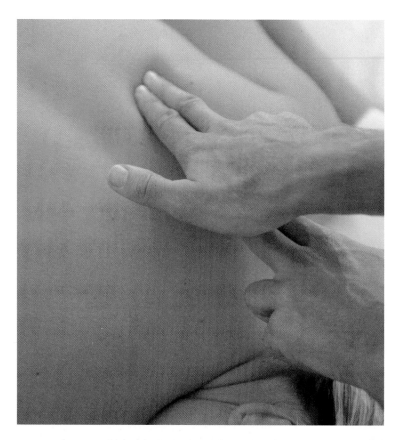

6 empujar los hombros
Regresar junto a la cabeza del
compañero. Colocar los dedos de
ambas manos, una detrás de la otra,
en la parte interna del omóplato.
Empujar hacia abajo lentamente con
ambas manos, presionando
firmemente en torno de los bordes del
omóplato. Seguir el contorno con las
manos, liberando las tensiones.

7 tirar del hombro Continuar el movimiento
alrededor de la parte baja del omóplato. Separar
las manos y rodear con ellas el resto del omóplato,
llevándolas cerca de la axila. Cuando usted empuje, el
hombro de su compañero deberá moverse. Repetir toda
la manipulación. Es excelente para aflojar los hombros.

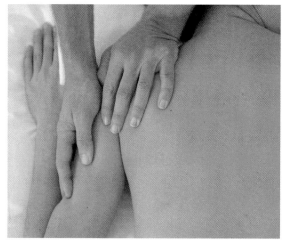

8 empujar hacia abajo Después de repetir el
movimiento anterior, finalice poniendo ambas manos
sobre el hombro del compañero y empujándolo hacia
abajo. El hombro se moverá significativamente, pero usted
solo deberá empujar mientras la maniobra resulte cómoda.
Su compañero sentirá un gran alivio. Hágalo una sola vez.

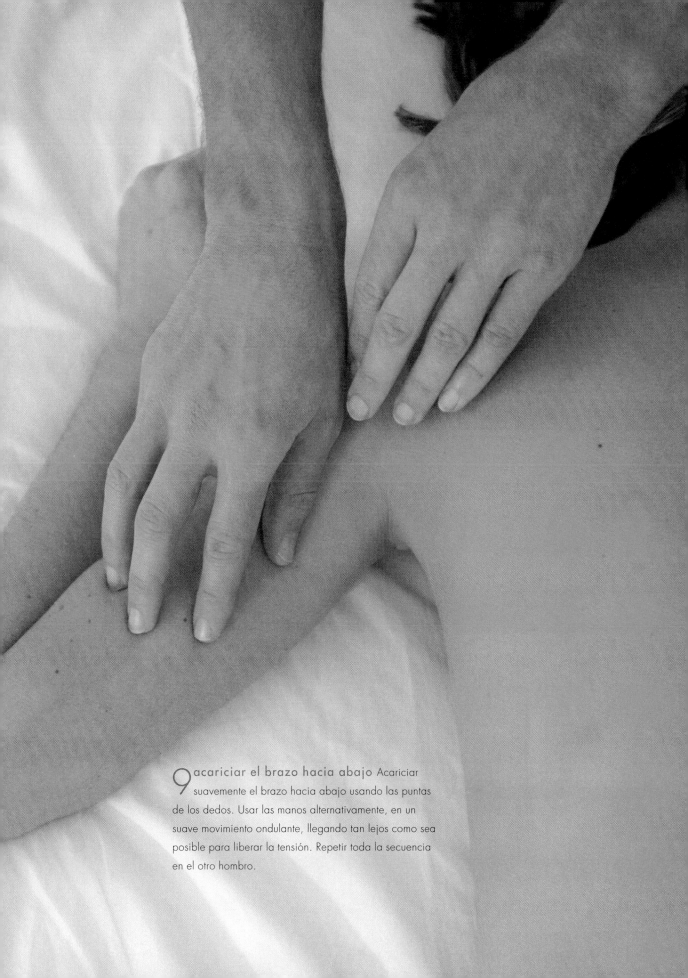

9 acariciar el brazo hacia abajo Acariciar suavemente el brazo hacia abajo usando las puntas de los dedos. Usar las manos alternativamente, en un suave movimiento ondulante, llegando tan lejos como sea posible para liberar la tensión. Repetir toda la secuencia en el otro hombro.

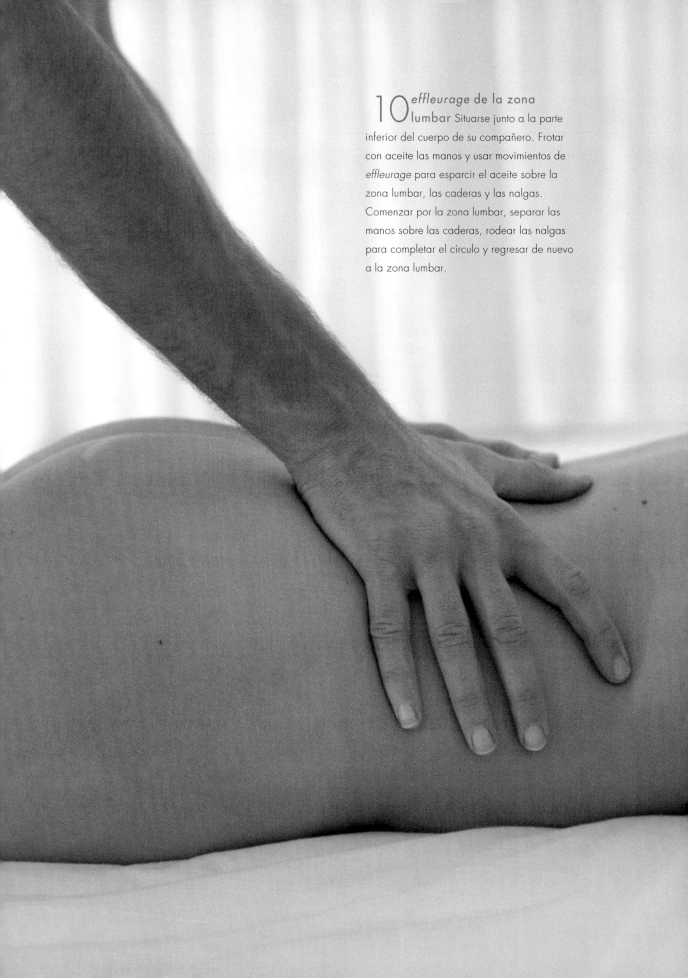

10 *effleurage* de la zona lumbar Situarse junto a la parte inferior del cuerpo de su compañero. Frotar con aceite las manos y usar movimientos de *effleurage* para esparcir el aceite sobre la zona lumbar, las caderas y las nalgas. Comenzar por la zona lumbar, separar las manos sobre las caderas, rodear las nalgas para completar el círculo y regresar de nuevo a la zona lumbar.

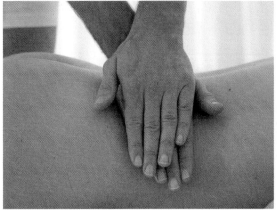

11 movimientos circulares en el sacro
Colocar las manos, una sobre otra, con los dedos planos, sobre el sacro del compañero. Lentamente, efectuar círculos varias veces en dirección opuesta a la agujas del reloj, presionando con la mano de arriba. Es maravilloso para aflojar tensiones, pero controle siempre que su compañero se sienta cómoda.

12 empujar la cadera Colocar ambas manos, una encima de la otra, en el centro de la espalda del compañero. Comenzar el movimiento al final de la columna, a la altura de la cadera. Empujar hacia fuera, deslizando las manos hacia abajo, sobre la espalda, pero manteniendo la manipulación por encima de la cadera del compañero.

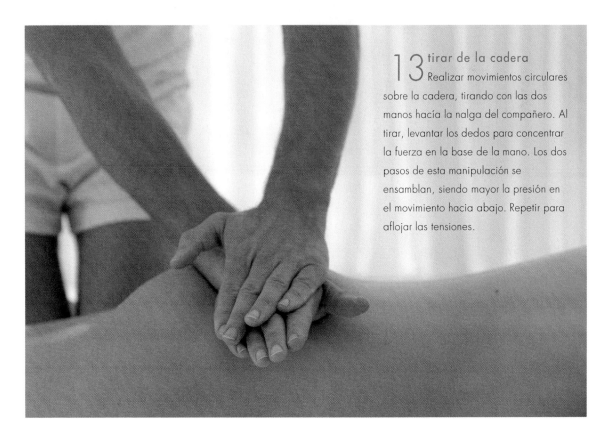

13 tirar de la cadera
Realizar movimientos circulares sobre la cadera, tirando con las dos manos hacía la nalga del compañero. Al tirar, levantar los dedos para concentrar la fuerza en la base de la mano. Los dos pasos de esta manipulación se ensamblan, siendo mayor la presión en el movimiento hacia abajo. Repetir para aflojar las tensiones.

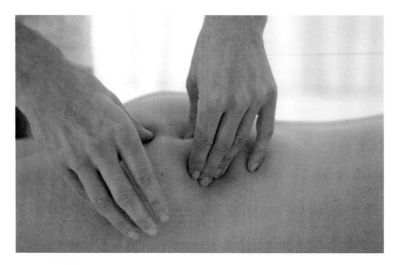

14 amasar Inclinarse sobre el compañero y comenzar los movimientos de amasado presionando hacia abajo y hacia fuera con el pulgar y enrollando los músculos hacia usted con los dedos. Mover las manos alternativa y rítmicamente, trabajando sobre los músculos y evitando los huesos.

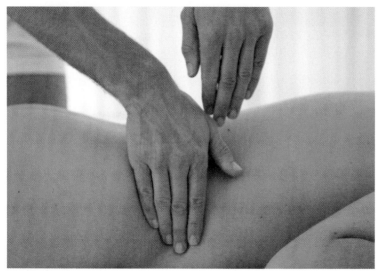

15 tirar Sin interrumpir el movimiento, llevar ambas manos a la cadera del compañero. Deslizar una mano por debajo del cuerpo y luego llevarla hacia usted, tirando del costado del compañero. Tirar con ambas manos alternativamente, yendo por todo el costado del cuerpo hasta el pecho.

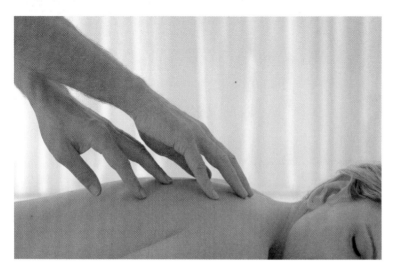

16 acariciar Al llegar al hombro, usar alternativamente las puntas de los dedos para acariciar los músculos de la espalda a lo largo de la columna del compañero. Levantar las manos suavemente al final de cada movimiento. Repetir varias veces, terminando en la zona lumbar.

17 estiramiento con antebrazo Colocado de costado, inclinarse sobre la columna del compañero y apoyar ambos antebrazos juntos, uno enfrentado al otro, en medio de la espalda del compañero. Mantener las muñecas relajadas y las manos con los puños cerrados pero flojos. Utilizar el peso del cuerpo y aplicar presión hacia abajo con los antebrazos.

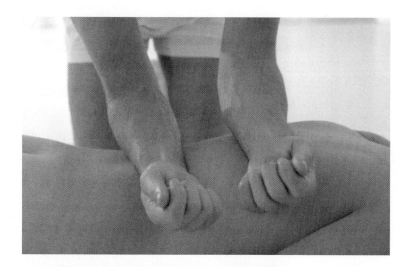

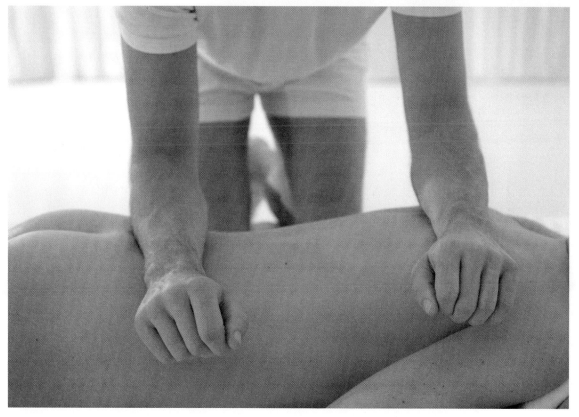

18 estiramientos con antebrazos Volver los antebrazos y, presionando, apartarlos lentamente uno de otro, siempre sobre la espalda del compañero. Poner el peso del cuerpo sobre los brazos y estirar hasta llegar a los hombros y caderas. Esto es un estiramiento fantástico para los músculos que rodean la columna. Repetir dos veces, cambiar posiciones y repetir la secuencia para la zona lumbar del otro lado.

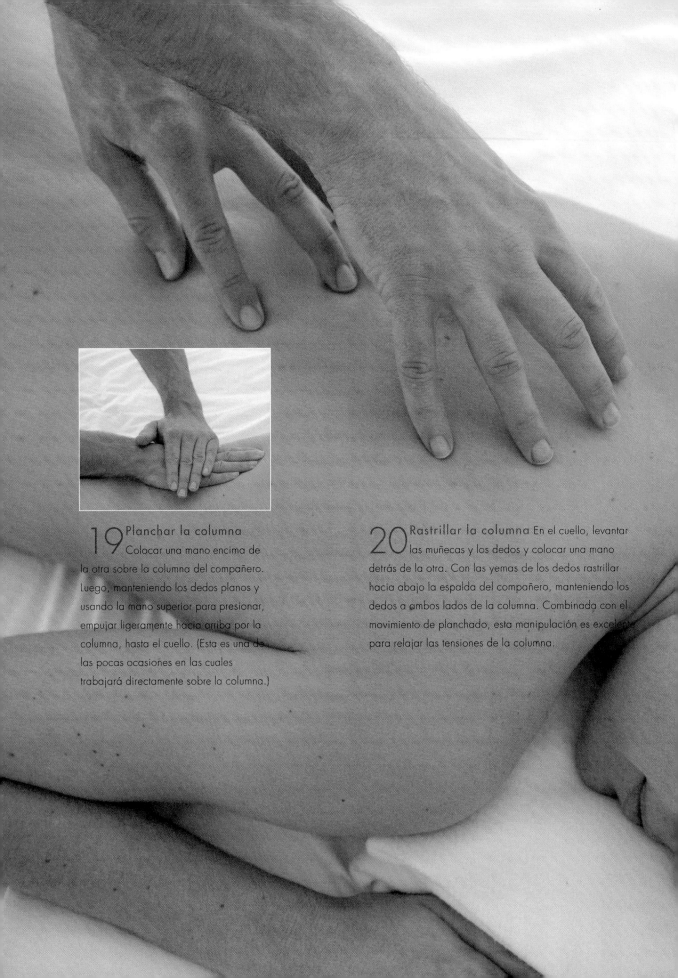

19 **Planchar la columna**
Colocar una mano encima de
la otra sobre la columna del compañero.
Luego, manteniendo los dedos planos y
usando la mano superior para presionar,
empujar ligeramente hacia arriba por la
columna, hasta el cuello. (Esta es una de
las pocas ocasiones en las cuales
trabajará directamente sobre la columna.)

20 **Rastrillar la columna** En el cuello, levantar
las muñecas y los dedos y colocar una mano
detrás de la otra. Con las yemas de los dedos rastrillar
hacia abajo la espalda del compañero, manteniendo los
dedos a ambos lados de la columna. Combinada con el
movimiento de planchado, esta manipulación es excelente
para relajar las tensiones de la columna.

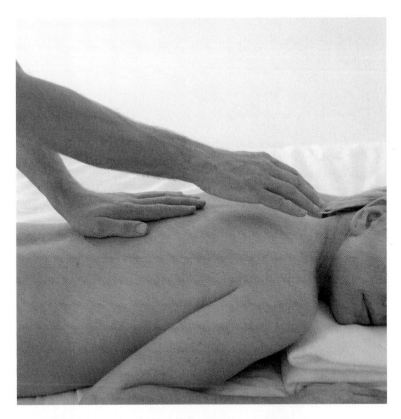

21 masajear la columna
Volver las manos a la parte superior de la espalda del compañero y masajear suavemente la columna hacia abajo varias veces. Esto tiene un profundo efecto relajante y calmante, y da la sensación de conexión a toda la espalda. Así finaliza el masaje de la espalda.

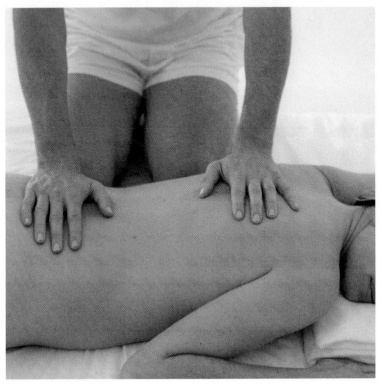

22 apoyar Esta es una manipulación engañosa, ya que no es tan pasiva como parece. Para completar el masaje de la espalda, colocar ambas manos sobre la espalda del compañero. Sentir la energía que parte de las palmas de las manos y sentir cómo la espalda del compañero llega al equilibrio. Luego del trabajo practicado, es importante disponer de unos momentos de tranquilidad, para que todo se asiente antes de continuar.

la parte posterior de las piernas

Las piernas nos ofrecen una oportunidad para trabajar sobre el músculo muy poderoso y se pueden logar los objetivos con alguna técnicas simples. Si bien las piernas se abordan como un todo, los movimientos se dividen en algunos para los muslos, otros para las pantorrillas y otros para los pies. El secreto de un fantástico masaje de piernas reside en adaptar las manipulaciones a la longitud de los músculos y no pasar por ellos demasiado rápido. El estiramiento de las piernas requiere que ambos participantes se sientan cómodos y confiados, lo cual va mejorando con la práctica. Una vez que nos familiarizamos con él, comienza a agregar profundidad al masaje.

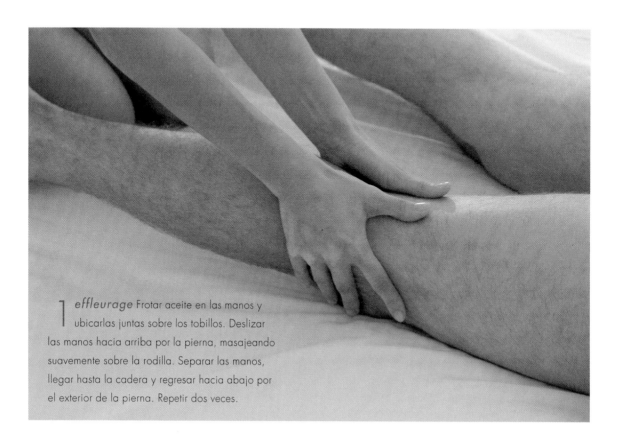

1 *effleurage* Frotar aceite en las manos y ubicarlas juntas sobre los tobillos. Deslizar las manos hacia arriba por la pierna, masajeando suavemente sobre la rodilla. Separar las manos, llegar hasta la cadera y regresar hacia abajo por el exterior de la pierna. Repetir dos veces.

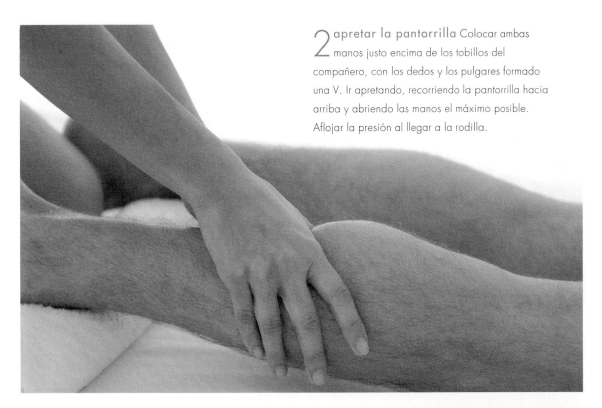

2 **apretar la pantorrilla** Colocar ambas manos justo encima de los tobillos del compañero, con los dedos y los pulgares formado una V. Ir apretando, recorriendo la pantorrilla hacia arriba y abriendo las manos el máximo posible. Aflojar la presión al llegar a la rodilla.

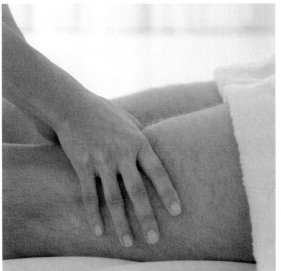

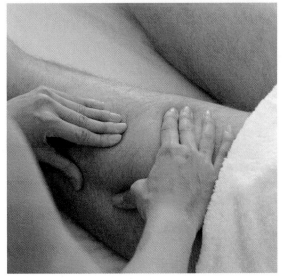

3 **apretar el muslo** Colocarse a los pies del commpañero. Masajear suavemente la parte posterior de la rodilla y luego retomar el movimiento de apretar sobre la parte superior y la parte externa del muslo, sin presionar la parte inferior. Continuar hasta la cadera, apoyando todo el peso.

4 **amasar el muslo** Cambiar de posición colocándose a un costado del compañero. Comenzar a amasar lentamente los músculos de la parte trasera del muslo. En esta zona puede aplicar una presión firme, pero controlándola mientras trabaja. Verá que los músculos se mueven con facilidad mientras masajea.

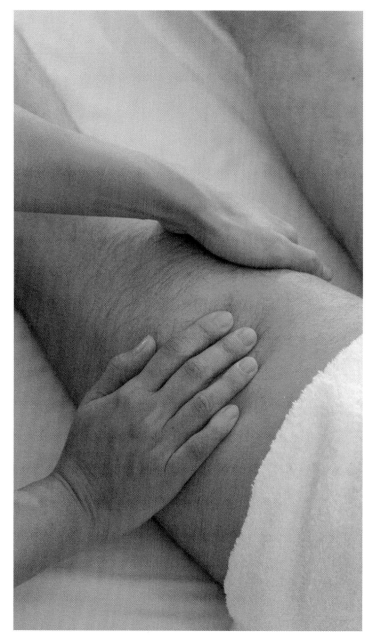

6 **estirar la pierna** Situarse junto a los pies del compañero. Colocar una mano por debajo del tobillo, para sostener y la otra mano rodeando el talón. Con el peso del cuerpo, inclinarse hacia atrás y tirar de la pierna del compañero. Se debe ver el movimiento a la altura de la cadera. La dirección del tirón debe ser hacia atrás y no hacia arriba. Esto efectuará en la pierna un magnífico estiramiento.

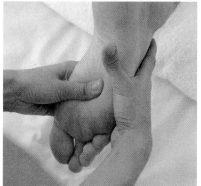

5 **retorcer el muslo** Colocar una mano sobre la parte exterior del muslo del compañero y apoyar la otra en la parte interior. Comenzar a deslizar las manos una hacia la otra, presionando firmemente de modo que los músculos se fuercen al cruzar las manos. Llevar las manos hasta los lados opuestos del muslo. Repetir la manipulación en sentido opuesto, trabajando hacia abajo, hasta la rodilla.

7 **presionar el pie** Bajar suavemente la pierna y colocar las manos alrededor del pie. Con las yemas de los pulgares, presionar sobre la planta del pie, recorriéndola varias veces. Puede usarse una presión bien firme, pero sin presionar demasiado sobre el empeine.

8 acariciar la pierna Dar suaves toques con las puntas de los dedos desde la cadera hasta el pie. Mover las manos alternativamente a lo largo de toda la pierna, en un solo movimiento, para dar sensación de conexión a todo el miembro. La atención se centrará en el pie. También es una manera de finalizar el masaje de la pierna.

9 sostener el pie Sostener el pie desde abajo con un mano y posar la otra sobre la planta. Sostener durante un momento. Centrarse en la energía que viene de las manos. Esto mejorará el efecto del masaje. Repetir toda la secuencia en la otra pierna.

el cuello

El masaje de la parte delantera comienza en el cuello y se efectúa a continuación del masaje de la espalda. En realidad las dos zonas pueden considerarse una sola, pero es más fácil dar un masaje de cuello en esta posición. Como el cuello puede ser particularmente sensible al tacto, hay que abordarlo con cuidado. Aquí se muestran algunas manipulaciones sencillas pero efectivas. El estiramiento de cuello produce una sensación muy agradable y su compañero se sentirá varios centímetros más alto. Hay que alentarlo para que se relaje y permita que usted efectúe los movimientos sin tensionarse y sin hacer nada. Trate de que sus manipulaciones sean fluidas y firmes para que su compañero se sienta confiado.

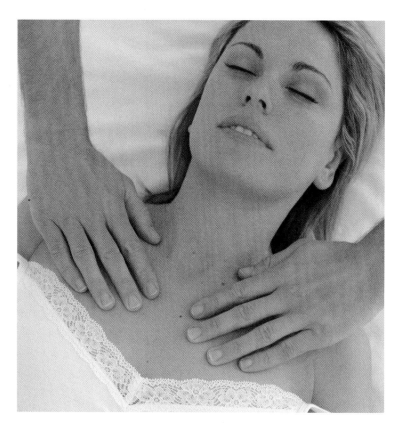

1 estiramiento de cuello
Sentarse junto a la cabeza del compañero y frotar las manos con muy poco aceite. Colocarlas, con los dedos apuntando hacia abajo, sobre la parte superior del pecho del compañero. Manteniendo las manos en completo contacto con el cuerpo del compañero, llevarlas hacia fuera, en dirección a los hombros, y deslizarlas hasta debajo del cuello.

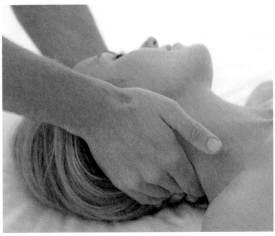

2 **estiramiento de cuello** Tomando la cabeza por debajo del cuello, con los dedos hacia arriba, llevar las manos en dirección a usted hasta que estén acomodadas sobre la base del cráneo de su compañero y tirar suavemente. La dirección del tirón debe ser hacia usted y no hacia arriba. Hacer esto una sola vez. Los dos pasos deben ensamblarse en un solo movimiento.

3 **movimiento de cuello** Colocar ambas manos por debajo del cuello. Llevar una mano hacia arriba, sobre los músculos del costado del cuello, moviendo la cabeza en dirección opuesta. Hacer girar el cuello en dirección opuesta con la otra mano, de modo que la cabeza vuelva a su lugar. Mover el cuello entre las manos varias veces hacia atrás y hacia delante.

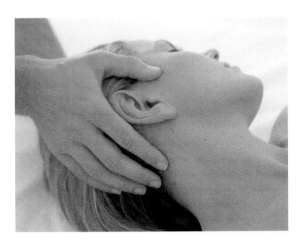

4 **volver la cabeza** Para este movimiento, necesitará volver la cabeza de su compañero. Hágalo suavemente, apoyando los pulgares delante de las orejas y ahuecando las manos alrededor del cráneo. Lleve la cabeza hacia un lado, de modo que quede apoyada sobre una de sus manos, dejando la otra libre para masajear. Repita hacia el otro lado.

5 **masajear el cuero cabelludo** Mientras la cabeza descansa sobre la mano de abajo, utilizar la mano libre para masajear el cuero cabelludo. Puede utilizar una presión bastante firme, ya que eso suele ser muy agradable. Recorra la mitad del cuero cabelludo con las yemas de los dedos y luego vuelva la cabeza para efectuar los mismos movimientos del otro lado.

el rostro

Los masajes sobre el rostro nos dan sensaciones maravillosas. Un suave masaje facial ejerce un efecto positivo sobre todo el cuerpo y puede ser una verdadera ayuda para una relajación profunda. Tanto los hombres como las mujeres pueden disfrutar de la sensación de relajación en los músculos del rostro, particularmente en la frente y la mandíbula. Hacer que los movimientos sean los más delicados y precisos posible, intentando no descargar el peso sobre su compañero y no tocar los ojos, las pestañas ni las fosas nasales. Se puede usar muy poco o nada de aceite, pero hay que procurar no tirar ni apretar la piel al trabajar. Asegúrese de que sus movimientos siempre terminen en dirección ascendente, para que a su compañero le quede una sensación agradable.

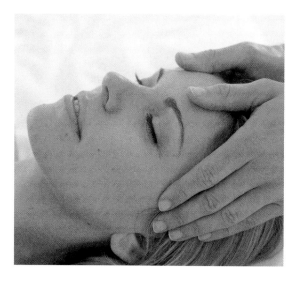

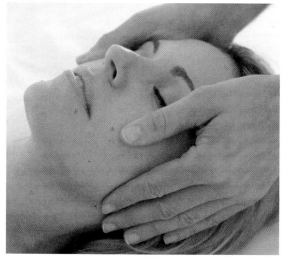

1 **masajear la frente** Acomodar las manos de modo que tomen suavemente la cabeza del compañero, sin ejercer presión. Colocar los pulgares juntos en el centro de la frente, encima de las cejas. Manteniendo los pulgares planos, apartarlos lentamente hasta llegar a la raíz del pelo. Tener en mente la idea de disipar las tensiones. Repetir el movimiento varias veces.

2 **masajear por debajo de las mejillas** Apoyando los dedos a los costados del rostro, colocar las yemas de los pulgares a los lados de las fosas nasales, justo por debajo de los pómulos. Apartar los pulgares siguiendo una línea que vaya por debajo de los pómulos. Seguir el movimiento hacia las orejas, terminando con un masaje hacia arriba. Practicarlo una sola vez.

3 masajear bajo el mentón Colocar las manos
en el centro del mentón del compañero. Los pulgares
deben estar arriba del mentón y los otros dedos justo
debajo. Deslizar las manos a lo largo de la línea de la
mandíbula, oprimiéndola suavemente entre los pulgares y
los dedos. Seguir toda la línea, en dirección a las orejas.

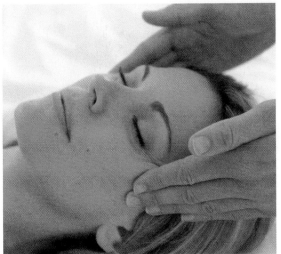

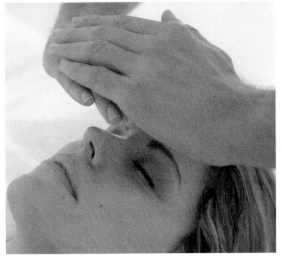

4 masajear la mandíbula Apoyar las puntas de los
dedos a ambos lados de la mandíbula de su
compañero, justo por debajo de los pómulos. Comenzar
a practicar círculos sobre los músculos, para lograr una
efectiva relajación de las tensiones. Describir círculos
amplios, manteniendo los dedos juntos.

5 posar Para completar el masaje facial, poner las
manos suavemente sobre los ojos del compañero,
sin tocarlos. Pensar en la energía que fluye de las manos.
Mantenerlas en esta posición durante unos instantes.
Además de relajar, este movimiento es muy efectivo para
descansar y revitalizar los ojos.

los brazos

El masaje de los brazos es semejante al de las piernas. Si bien hay que considerar los brazos como un todo, verá que las manipulaciones naturalmente dividen los brazos de los antebrazos y las manos.

El estiramiento de brazos nos da la oportunidad de trabajar sobre hombros y espalda. La clave para un masaje exitoso consiste en seguir los músculos del principio al fin. Hay que alentar al compañero para que se relaje completamente y para que no se retraiga ni trate de ayudar. Como es más difícil abordar los músculos cuando los brazos están apoyados, en la mayor parte de las manipulaciones hay que sostenerlos. Si bien los músculos parecen delicados, verá que puede aplicar bastante presión sobre ellos.

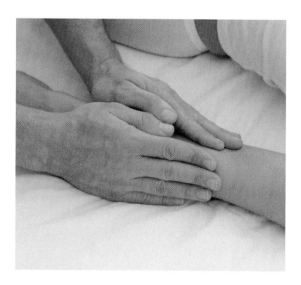
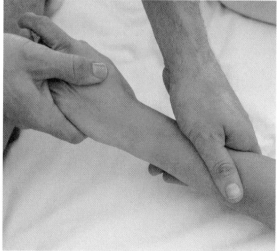

1 *effleurage* Situarse al costado del compañero. Frotar las manos con un poco de aceite y, comenzando por la muñeca, aplicar el *effleurage* para esparcir el aceite sobre los brazos del compañero. Presionar más cuando los movimientos son ascendentes, deslizar las manos sobre los hombros y volver hacia la muñeca. Repetir dos veces.

2 presionar el antebrazo Mientras se sostiene el brazo del compañero con una mano, ubicar la otra sobre el antebrazo, colocando el pulgar en la parte superior y el resto de los dedos por debajo. Comenzando por la muñeca, ir presionando el antebrazo a lo largo, aflojando al aproximarse al codo. Sirve para estimular los músculos y relajar tensiones. Repetir el movimiento.

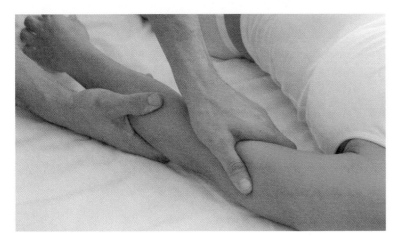

3 presión sobre el brazo
Sosteniendo el brazo del compañero, continuar los movimientos de presión con el pulgar y el resto de los dedos. Comenzar justo arriba del codo y presionar los músculos hasta arriba, llegando lo más lejos posible. Aplicar la mayor presión sobre la parte anterior del brazo y repetir varias veces.

4 estiramiento Tomar la muñeca del compañero y sostener suavemente el codo con la otra mano. Comenzar a estirar el brazo suavemente hacia arriba. Aumentar el estiramiento en tanto el compañero se sienta cómodo. Mientras tira, sostenga el codo para evitar tensiones y aumentar el estiramiento. Su compañero sentirá el movimiento en la espalda.

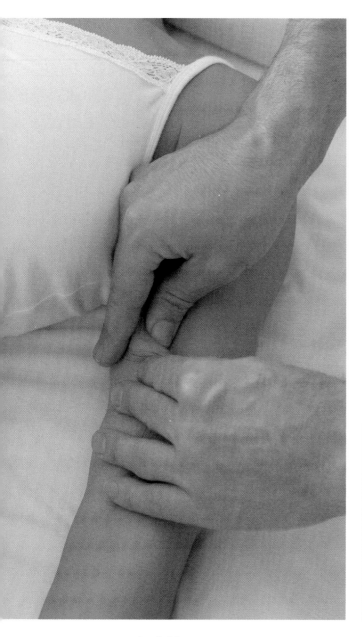

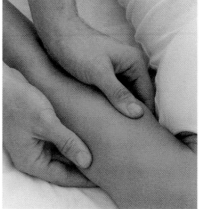

6 abrir el brazo Colocar ambas manos alrededor del brazo del compañero, con los pulgares juntos sobre la parte anterior y los dedos tomando la parte posterior. Separar los pulgares, aplicando presión con la base. Repetir el movimiento ampliándolo un poco y yendo hacia abajo. Continuar por todo el antebrazo hasta la muñeca.

5 amasado del brazo Manteniendo apoyado el brazo del compañero, amasar los músculos a lo largo de la parte delantera del brazo. Empujar con los pulgares y enrollar con el resto de los dedos. Los movimientos serán bastante pequeños. Amasar hacia arriba y hacia abajo varias veces.

7 abrir la mano Ubicar las manos en la misma posición sobre la mano del compañero y apartar los pulgares en toda su extensión. Limitar el movimiento al dorso de la mano del compañero, ejerciendo la presión siempre por encima de los dedos. La mano del compañero se arqueará, logrando una buena relajación.

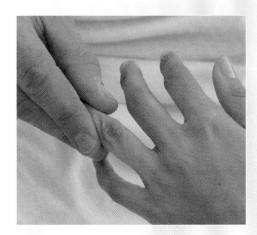

8 **torsión de los dedos** Colocar el pulgar y el índice alrededor de la base del dedo y retorcer los costados del dedo, dirigiéndose hacia la punta. Esta manipulación se puede efectuar con bastante firmeza. Realizar la torsión de todos los dedos y del pulgar de una mano. Así logrará distender los dedos.

9 **tirar de los dedos** Sostener con los dedos un dedo del compañero, colocando el índice sobre la base y el pulgar por debajo. Tirar a lo largo del dedo, hasta la punta. Presionar suavemente para eliminar las tensiones. Repetir el movimiento sobre cada dedo y cambiar de posición para realizar toda la secuencia sobre el otro brazo.

el pecho

Este masaje nos da la oportunidad de disipar las tensiones en el pecho, que suelen ser consecuencia del estrés. Si está dando el masaje a una mujer, las manipulaciones deberán restringirse al centro del pecho, entre los senos o a los costados de las costillas, pero no se debe masajear directamente los senos. Si esto le provoca inseguridad, efectúe movimientos claros, ya que, si usted está seguro de su propósito, su compañera también lo estará y podrá relajarse. La forma de las costillas es muy apta para ser masajeada con toda la mano y para adaptar los movimientos a la forma del cuerpo. Al empujar los hombros reforzamos el alargamiento y promovemos una relajación total.

1 *effleurage* Situarse junto a la cabeza del compañero. Frotar las manos con aceite y colocarlas juntas en la parte superior del pecho. Con los dedos apuntando hacia abajo, deslizar las manos hacia el centro del pecho, hasta el final de la caja torácica, masajeando con las puntas y con toda la extensión de los dedos.

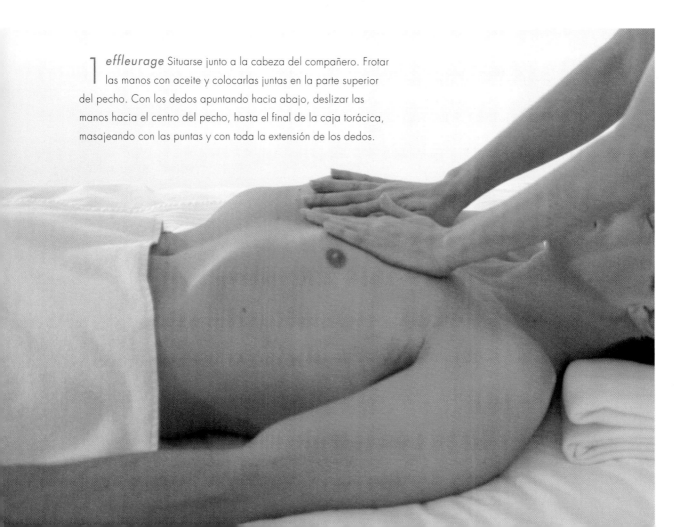

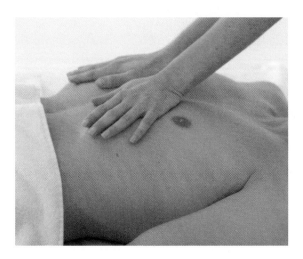 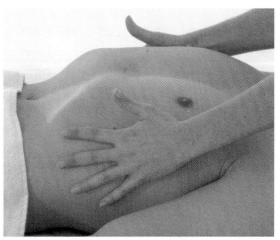

2 **tirar** Al llegar al final de la caja torácica, separe las manos, con los dedos apuntando hacia fuera y deslícelas juntas hacia arriba volviendo al punto de partida. Aflojar la presión al regresar y terminar utilizando las puntas de los dedos.

3 **tirar** Repetir el *effleurage* hacia abajo, por el centro del pecho, pero esta vez abriendo las manos para abarcar los costados de las costillas. Tirar de ambos lados del cuerpo. Mantener las manos planas contra las costillas, con los dedos abiertos, tirando suavemente al ascender hasta la parte superior del pecho.

4 **empujar los hombros hacia abajo** Al terminar el movimiento ascendente, llevar las manos a la parte superior de los hombros del compañero. Colocar ambas manos firmemente sobre los hombros y empujar lo más posible, mientras resulte agradable. Se sorprenderá al ver la amplitud del movimiento. Esto dará a su compañero una agradable sensación de alargamiento.

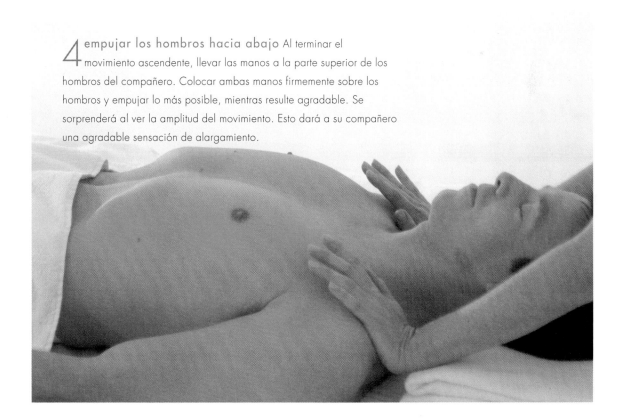

el abdomen

El masaje del abdomen es una parte especial de cualquier masaje corporal. En esa zona, todos somos blandos y vulnerables, por lo que cualquier manipulación penetra profundamente. La clave consiste en actuar con suavidad y aplicar un pensamiento positivo. Se debe incluir el abdomen en cualquier masaje, ya que la relajación en esa zona tiene un efecto directo sobre los músculos. Pueden practicarse movimientos suaves y circulares con las palmas de las manos, en el sentido de las agujas del reloj, para seguir la dirección de los intestinos. El abdomen capta rápidamente el estrés, por eso son útiles las manipulaciones calmantes. Esté atento al ciclo menstrual de su compañera. Los masajes son buenos durante la menstruación, pero previendo que no esté demasiado sensible para tolerar el contacto.

1 *effleurage* Sentarse al lado del compañero. Frotar las manos con un poco de aceite, esparciéndolo suavemente sobre el abdomen, con movimientos lentos de *effleurage*. Mover las manos siempre en el sentido de las agujas del reloj. Utilizar toda la superficie de la mano, manteniéndola plana y practicar movimientos que ayuden al compañero a relajarse.

2 **movimientos circulares** Con una mano comenzar a practicar movimientos circulares más firmemente sobre el abdomen, siempre en el sentido de las agujas del reloj. Ampliar los círculos, abarcando un área lo más grande posible. Los límites son las caderas y la caja torácica. Mientras una mano termina el círculo, comenzar a mover la otra.

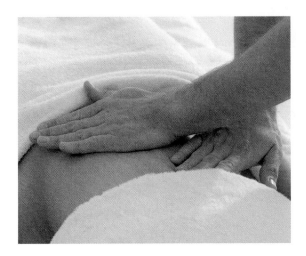

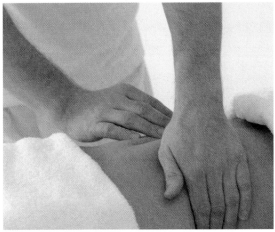

3 movimientos circulares Al practicar los círculos, las manos se entrecruzarán naturalmente. Asegurarse de mantener una mano en permanente contacto con el abdomen, y apartar la otra al cruzarla. Esto dará a su compañero la sensación de continuidad. Practique círculos suaves varias veces, con la mano plana.

4 tirar Inclinarse hacia adelante y colocar una mano por debajo del cuerpo, justo por encima de la cadera. Subir la mano por el costado, levantando el cuerpo del compañero. Tirar alternativamente con ambas manos, para que el cuerpo se desplace en dirección a usted. Repetir varias veces de ambos lados.

5 apoyar Colocar ambas manos sobre el abdomen del compañero y dejarlas simplemente apoyadas allí. Sentir la energía que emana de sus manos y centrarse en pensamientos positivos. No apoyar el peso de su cuerpo sobre el compañero. Esta manipulación es poderosa y sirve para equilibrar la energía del compañero.

la parte anterior de las piernas

La parte final del masaje simple nos da la oportunidad de trabajar nuevamente sobre las piernas y los pies. De esta manera, habrá abarcado todas las partes sensibles de su compañero, de la cabeza a los pies. La parte anterior de los muslos contiene músculos poderosos, por eso, aunque esté dando un masaje a alguien muy cercano, no debe apresurarse. Es importante que los movimientos abarquen toda la pierna, y especialmente que lleguen hasta la cadera. Cada segundo que usted dedique al trabajo sobre estos músculos será apreciado. Asegúrese de reservar tiempo para el final: es tan importante como el comienzo.

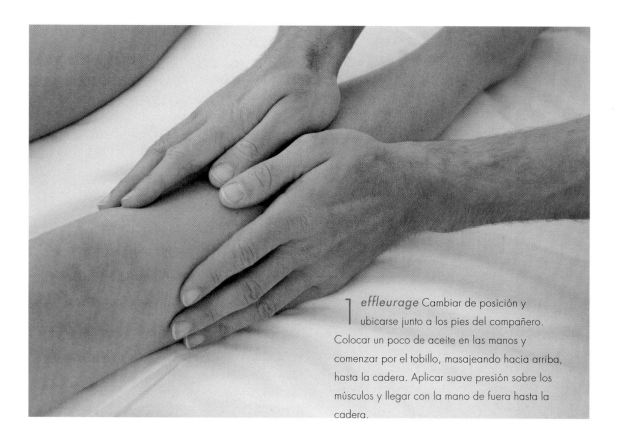

1 *effleurage* Cambiar de posición y ubicarse junto a los pies del compañero. Colocar un poco de aceite en las manos y comenzar por el tobillo, masajeando hacia arriba, hasta la cadera. Aplicar suave presión sobre los músculos y llegar con la mano de fuera hasta la cadera.

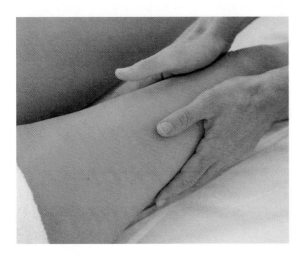

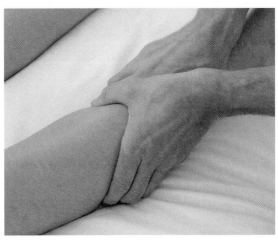

2 *effleurage* Llevar las manos hacia abajo por la parte externa de la pierna, para completar el *effleurage*. Mantener una presión suave y regresar por la pierna hacia abajo, levantando las muñecas para usar la punta de los dedos. Al llegar al pie, repetir dos veces más la manipulación.

3 apretar la pantorrilla Colocar las manos sobre la parte anterior de la pierna, justo arriba del tobillo. Poner los pulgares de un lado y los dedos del otro. Presionar los músculos de la pantorrilla hacia arriba, apretando con dedos y pulgares. No presionar el hueso y disminuir la presión al llegar a la rodilla.

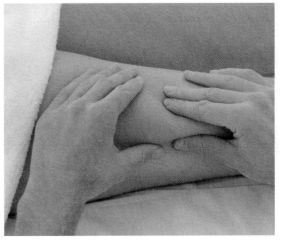

4 apretar el muslo Cambiar de posición para alcanzar el muslo y continuar con la presión por encima de la rodilla, con los dedos hacia un lado y los pulgares hacia el otro. Presionar moviendo las manos hacia arriba, en dirección a la cadera hasta rodearla. Repetir el movimiento las veces que sea necesario.

5 amasar el muslo Comenzar a amasar el muslo trabajando hacia abajo hasta llegar a la rodilla. Trabajar sobre el frente y la parte exterior, sin aplicar presión sobre la cara interior del muslo. Situarse de costado y enrollar los músculos con los dedos y los pulgares, presionando y llevando la carne en dirección a usted.

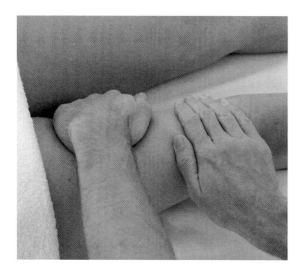

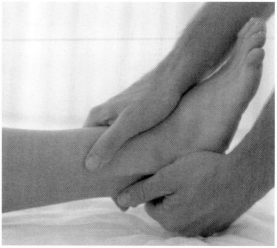

6 **torsión del muslo** Comenzar a practicar la torsión desde la parte superior del muslo hacia abajo. Con las manos a ambos lados del muslo, aplicar una presión firme para llevar la mano que está más lejos hacia la parte superior del muslo y hacia usted y al mismo tiempo llevar la mano más cercana hacia el otro lado.

7 **estirar la pierna** Poner una mano por debajo del talón y la otra en la parte superior del pie. Levantar ligeramente la pierna y tirar de ella con suavidad en dirección a usted. Esto da como resultado una agradable sensación de estiramiento. Se debe tirar con la mano de abajo. La mano de arriba fundamentalmente sirve de sostén.

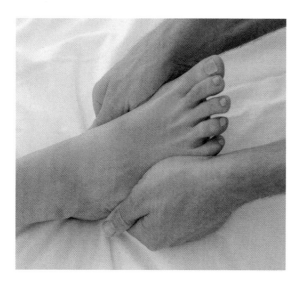

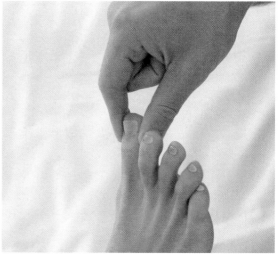

8 **abrir el pie** Acomodar los dedos por debajo el pie colocando los pulgares a lo largo, sobre la parte superior del pie. Apartar las manos hacia los costados del pie, presionando principalmente con la base de los pulgares. Puede practicar el movimiento varias veces, manteniendo la presión sin llegar a los dedos del pie.

9 **tirar de los dedos** Tomar un dedo del compañero entre el pulgar y el índice. Suavemente deslizar los dedos hacia delante mientras tira del dedo. Ir tirando de cada dedo, presionando con firmeza si su compañero tiene cosquillas. Este movimiento da una sensación muy agradable.

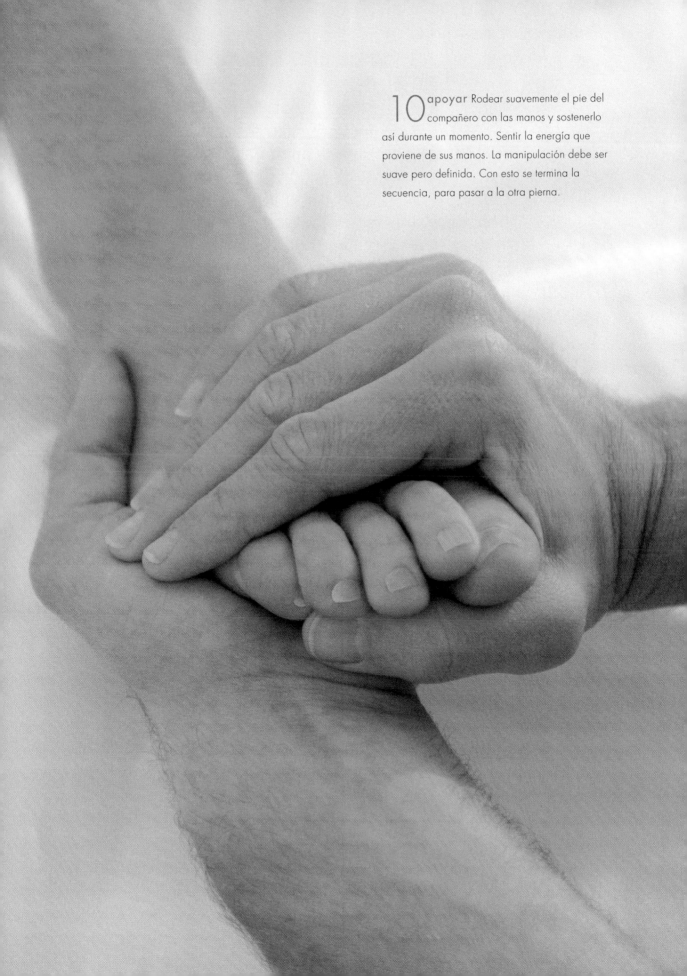

10 apoyar Rodear suavemente el pie del compañero con las manos y sostenerlo así durante un momento. Sentir la energía que proviene de sus manos. La manipulación debe ser suave pero definida. Con esto se termina la secuencia, para pasar a la otra pierna.

técnicas avanzadas

Las técnicas que se incluyen en la siguiente sección están destinadas a ampliar sus conocimientos y se basan en las ya aprendidas. Exigen una mayor familiaridad con el cuerpo y con la práctica del masaje, y una mayor precisión. Para aplicarlas también es necesario tener una mayor sensibilidad. Una vez más, el mejor modo de adquirir conocimiento de las técnicas es practicarlas, experimentarlas en distintas partes del cuerpo y observar las respuestas. También puede hacer que su compañero las aplique sobre usted, lo cual constituye un excelente modo de aprender. Puede agregar estas técnicas a las que ya conoce y suele utilizar en distintas zonas o para distintos problemas. Como siempre, debe estar atento también a lo que sucede con su propio cuerpo.

manipulación con los pulgares

En esta técnica se utiliza el largo de los pulgares y se presiona con las yemas y los costados de los dedos. Con los demás dedos suavemente apoyados sobre el cuerpo, o con las manos un poco levantadas, haga girar los pulgares alternativamente, de modo que el movimiento sea continuo y dé una sensación de olas. Se utiliza para abarcar zonas específicas, como el pie, o para recorrer una tira muscular, como la que rodea la columna. Se aplica después de masajes firmes y relajantes, para liberar y dispersar la tensión, o para conectar una parte del cuerpo con otra, como la parte superior con la zona lumbar.

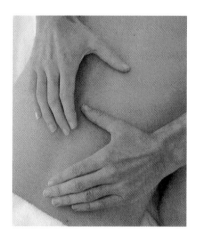 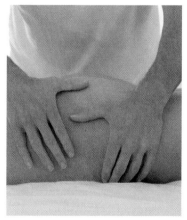 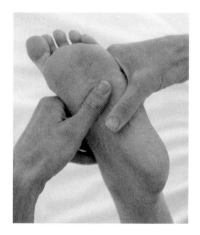

columna Comenzando por la parte superior de la espalda, colocar todo el largo de un pulgar sobre el músculo que está al costado de la columna. Efectúe la manipulación hacia abajo, presionando el músculo. Levantar el dedo y seguir manipulando con el otro pulgar, comenzando cada vez un poco más abajo.

nalgas Situarse al costado del compañero. Con un pulgar, recorrer la nalga en diagonal. Comenzar al lado del sacro y trabajar hacia la cadera. Manipular con ambos pulgares alternativamente, con movimientos pequeños. Repetir desde el comienzo varias veces.

plantas de los pies Sostener el pie con los dedos desde abajo y poner los pulgares sobre la planta. Manipular con el largo de un pulgar desde el talón hasta los dedos y luego en la misma dirección con el otro pulgar. Actuar suavemente sobre el empeine y continuar la manipulación hasta los dedos.

movimientos circulares con pulgares

Para practicar movimientos circulares con los pulgares, utilice las puntas de los dedos. Pueden efectuarse en una zona en particular, alternando ambos pulgares, o en un movimiento en el cual se recorra toda un área con los pulgares. En ambos casos se debe presionar y practicar lentamente un círculo con la yema del dedo. Los movimientos circulares se suelen efectuar sobre zonas suaves, que no tienen grandes masas musculares y en las cuales la presión se ejerce sobre huesos con el objeto de aflojar tensiones en áreas musculares pequeñas y específicas o para dispersar la tensión después del trabajo de aflojamiento.

 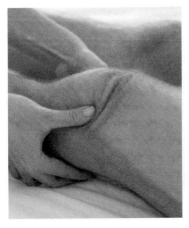 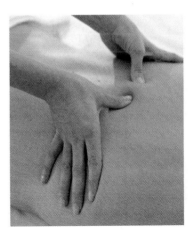

palmas Sostener la mano con los dedos. Colocar la yema del pulgar sobre la palma, presionar y practicar círculos hacia fuera. A continuación hacer círculos hacia fuera con el otro pulgar. Trabajar sobre las dos palmas usando ambos pulgares alternativamente para practicar círculos bastante amplios. No olvidar incluir la base de la palma y la base de los dedos.

rodillas Situarse junto a los pies del compañero. Sostener la rodilla desde abajo y ubicar los dos pulgares en la base de la rodilla, practicando círculos hacia fuera. A medida que vaya practicando, ir desplazándose alrededor de la rodilla, hasta que los pulgares se encuentren en la parte superior. Durante todo el movimiento se ejercerá presión sobre la rodilla.

columna Situarse para poder abarcar toda la columna del compañero. Comenzar por la zona lumbar, colocando ambos pulgares sobre los músculos a los costados de la columna. Efectuar círculos hacia fuera mientras se recorre la columna hacia arriba. Practicar los círculos siempre hacia fuera y hacia arriba. Concentrarse en las zonas de tensión que se perciban.

fricción

La fricción es otro tipo de movimiento circular, que en este caso se realiza con las yemas y las puntas de los dedos o los pulgares. Ese movimiento circular con presión se realiza en puntos específicos, sin desplazar la piel, porque así se aplica una mayor presión. El movimiento es muy preciso y se practica en una zona muscular específica, como a los costados de la columna o en una articulación o alrededor de la misma. La presión debe acomodarse al área que se está trabajando y puede ser muy suave en los casos necesarios. La fricción es un método efectivo de relajación, pero sólo se aplica en áreas en las que se requiere un alivio especial. Además de la presión, se puede aplicar una suave vibración.

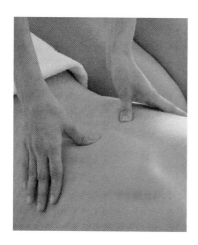

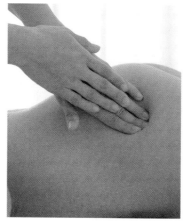

columna Apoyar ambos pulgares en los músculos de los costados de la columna, donde se perciben tensiones particulares. Aplicar presión en los músculos y al mismo tiempo describir pequeños círculos en la zona, sin aflojar la presión. Continuar durante unos momentos, y luego aflojar. Esto ayudará a que los músculos que están directamente debajo se relajen.

cadera Colocar las puntas de los dedos sobre la articulación de la cadera y presionar en diagonal hacia la articulación. Para penetrar más, practicar círculos sobre la zona con los dedos mientras presiona (como la articulación es muy profunda, no podrá llegar hasta ella). Este movimiento ayuda a disminuir las tensiones en el tejido blando que la rodea.

tobillo Sostener con una mano el pie y con el pulgar de la otra presionar alrededor del tobillo. Utilizar la yema del pulgar para presionar en diagonal hacia la articulación, practicando movimientos circulares. Controlar el grado de presión adecuado. Trabajar todo el recorrido interior y exterior del tobillo, manteniendo la presión cerca de la articulación.

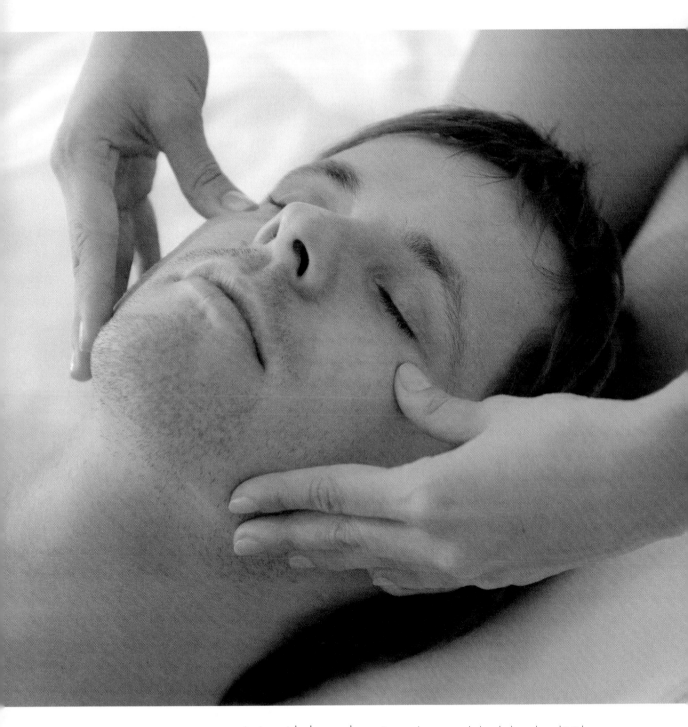

Las cavidades oculares Apoyar las yemas de los dedos sobre el tejido blando situado debajo de las cavidades oculares. Aplicando una presión suave, describir diminutos círculos, presionando hacia dentro. Trabajar por debajo de las cavidades oculares hacia la nariz. Evitar presionar el delicado tejido que está inmediatamente debajo de los ojos.

presión con la base de las manos

La utilización de la base de las manos sirve para ejercer una mayor presión sobre áreas musculares grandes o tensionadas. En lugar de trabajar con los dedos, se llevan las muñecas hacia atrás para hacer presión con la base de las manos y aprovechar mejor el peso del cuerpo. El uso de la base de las manos permite aplicar mayor presión sobre zonas determinadas. Con esta técnica se llega a una penetración más profunda, especialmente cuando se aplica sobre los músculos. Sobre los miembros, los movimientos se realizan hacia el centro de cuerpo, nunca hacia abajo. Cuando se aplica presión sobre los músculos, conviene disminuirla al acercarse a las articulaciones.

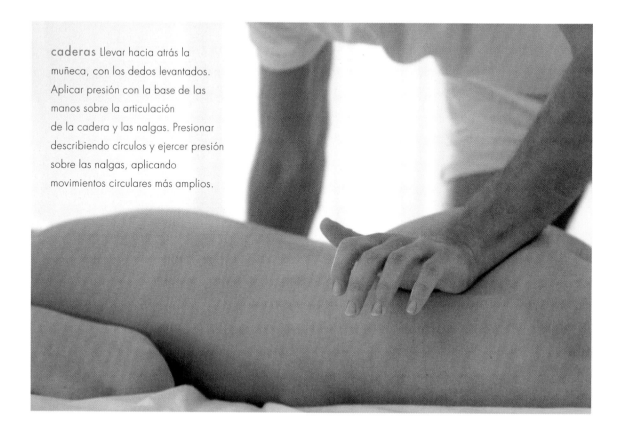

caderas Llevar hacia atrás la muñeca, con los dedos levantados. Aplicar presión con la base de las manos sobre la articulación de la cadera y las nalgas. Presionar describiendo círculos y ejercer presión sobre las nalgas, aplicando movimientos circulares más amplios.

pantorrillas Colocar las manos
a los lados de la pierna, justo arriba
del tobillo. Doblar las muñecas, de
modo que la base de las manos
presione hacia dentro, y apretar
los músculos de la pantorrilla.
Trabajar por franjas hacia arriba,
disminuyendo la presión al acercarse
a la rodilla.

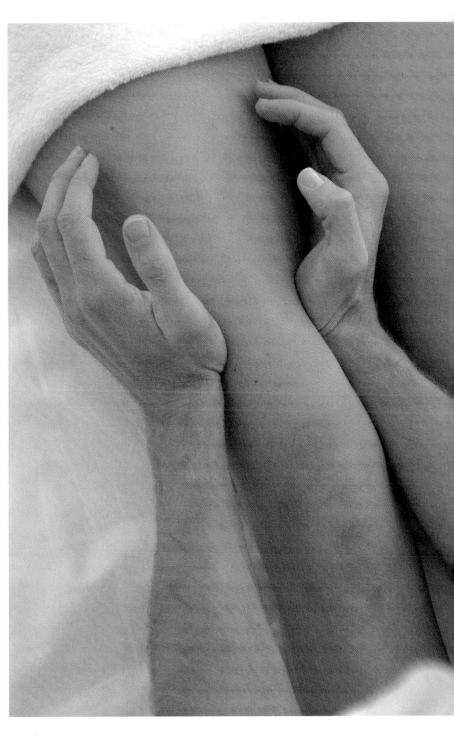

muslos Ubicar las manos sobre los músculos de la cadera, por encima de
la rodilla. Empujar hacia arriba, con la base de las manos presionando hacia
el centro de la pierna. Evitar la presión en la parte superior y en el interior.
Trabajar los músculos por franjas.

balanceo

El balanceo es un movimiento suave que se puede aplicar después de finalizar el trabajo sobre una zona en particular, para completar un masaje o, en ocasiones, para aflojar una zona particularmente tensa. Colocando las manos a ambos lados del cuerpo, golpetear alternativamente hacia el centro, de modo que el compañero se balancee. Esta técnica es agradable, da una sensación de libertad y movimiento y ayudar a relajar los músculos y a aflojar las articulaciones. Se puede realizar en cada extremidad por separado, con las manos a diferentes alturas del cuerpo y con movimientos ascendentes y descendentes. Su compañero se entregará a este movimiento, que debe ser suave, no enérgico. Concluya con movimientos descendentes.

caderas y pecho Colocar una mano sobre el costado de la caja torácica y ubicar la otra en la cadera opuesta. Golpetear alternativamente con las manos, hacia el centro del cuerpo, efectuando un balanceo. Luego llevar la mano de abajo hacia arriba y la de arriba hacia la cadera y regresar a la posición inicial.

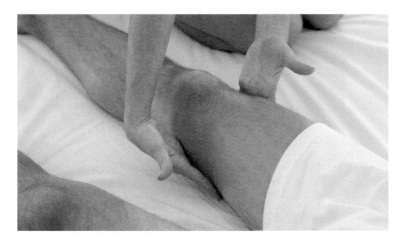

piernas Ubicar ambas manos en la parte superior de las piernas, a ambos lados de los muslos. Golpetear suavemente con las manos, llevándolas una hacia la otra y recorriendo las piernas hacia abajo por el lado exterior, hasta los pies. Los movimientos deben ser muy pequeños. Regresar a la parte superior de las piernas y repetir una vez más el movimiento de balanceo.

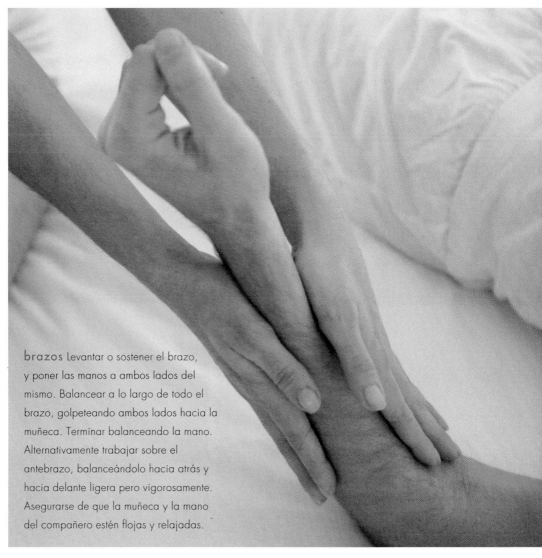

brazos Levantar o sostener el brazo, y poner las manos a ambos lados del mismo. Balancear a lo largo de todo el brazo, golpeteando ambos lados hacia la muñeca. Terminar balanceando la mano. Alternativamente trabajar sobre el antebrazo, balanceándolo hacia atrás y hacia delante ligera pero vigorosamente. Asegurarse de que la muñeca y la mano del compañero estén flojas y relajadas.

percusión

Percusión es un término que se usa para designar un conjunto particular de movimientos, de los cuales los más frecuentes son los golpeteos con las palmas, con los cantos de las manos y con los puños. Los movimientos se deben practicar rápidamente y tienen un efecto estimulante, ya que aumentan la circulación en la zona. Son excelentes para estimular el cuerpo después de haber trabajado sobre una zona, o bien para acrecentar el ritmo de un masaje o, como en un caso que me comentaron, para despertar lo suficiente al que recibió el masaje, de modo que no pase después horas enteras inactivo. Los movimientos de percusión deben ser limpios y ligeros y, cuando se los ejecuta correctamente, producen un sonido agradable mientras las manos recorren el cuerpo. Utilice estos movimientos sobre la espalda, los brazos, las piernas y, con cuidado, sobre las plantas de los pies.

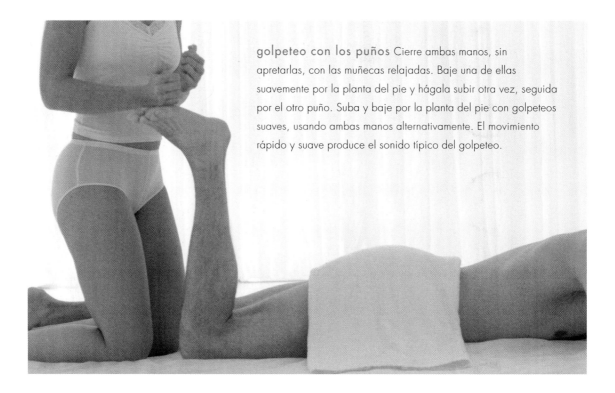

golpeteo con los puños Cierre ambas manos, sin apretarlas, con las muñecas relajadas. Baje una de ellas suavemente por la planta del pie y hágala subir otra vez, seguida por el otro puño. Suba y baje por la planta del pie con golpeteos suaves, usando ambas manos alternativamente. El movimiento rápido y suave produce el sonido típico del golpeteo.

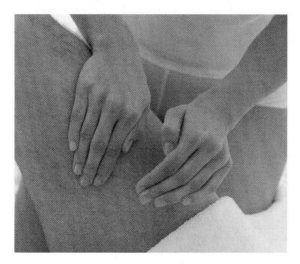

golpeteo con palmas Ahuecar las palmas de las manos y golpetear los músculos de los muslos con ellas, alternativamente. Practicar una serie de movimientos rápidos de este tipo, hacia arriba y hacia abajo. Mantener la palma de la mano ahuecada, para que se introduzca aire mientra hace contacto.

golpeteo con el canto Mantener las manos relajadas y golpear suavemente en forma rápida los hombros con el borde exterior de una mano. Practicar el mismo movimiento con la otra y luego alternativamente. Golpetear recorriendo el hombro hacia arriba y hacia abajo, manteniendo los dedos flojos.

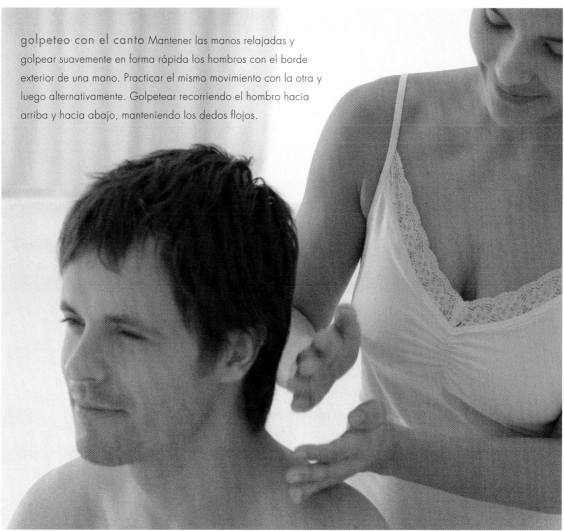

puntos de presión

El principio que fundamenta esta técnica es la existencia de líneas de energía o meridianos que recorren todo el cuerpo y que se relacionan con distintos aspectos de su funcionamiento. A lo largo de estas líneas hay numerosos puntos de presión. Si la energía de un meridiano es excesiva o deficiente, los puntos de presión ayudan a restaurar el equilibrio, produciendo armonía en el cuerpo y previniendo enfermedades. Recomiendo probar los puntos sobre uno mismo antes de buscarlos en otro. Se los localiza buscando huecos o depresiones y pueden ser tiernos. Presione allí con los pulgares o los índices y afloje la presión en forma pareja. Puede sentir una liberación de energía.

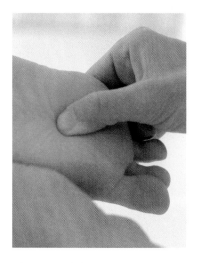 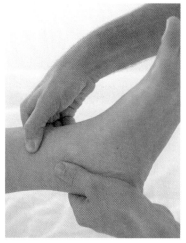 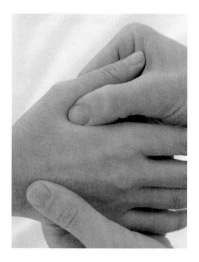

el monte del pie Localizar la parte anterior de la planta del pie y colocar el pulgar justo debajo, en una línea vertical que parta del segundo dedo. Presionar con el pulgar, sostener la presión durante tres segundos y aflojar en forma pareja. Esto estimula la energía del riñón y aumenta la energía.

el interior del tobillo Colocar el pulgar a tres dedos de distancia de la parte superior del tobillo, justo entre los huesos. Presionar y sostener durante tres segundos y luego aflojar. Esto estimula la energía del bazo, calma los dolores menstruales y puede acelerar el parto.
Nota: No aplicar durante el embarazo.

la membrana del pulgar Colocar el pulgar en la piel que une el pulgar y el índice, poniendo el índice por debajo. Oprimir suavemente durante tres segundos y luego aflojar. Calma las cefaleas, resfriados, dolores de muelas y estreñimiento.
Nota: No aplicar durante el embarazo.

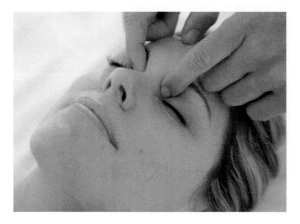

lado interno del ojo Colocar los dedos por encima del extremo interno del ojo. Buscar una pequeña hendidura situada debajo de las cejas. Presionar. Mantener la presión tres segundos y aflojar. Este punto se encuentra sobre el meridiano de la vejiga y ayuda a aliviar cefaleas. No se debe presionar muy fuerte.

centro de la frente Apoyar ambos pulgares en el centro de la frente. Presionar suavemente y soltar, apretando en un recorrido ascendente, hacia la raíz del pelo, a intervalos regulares. Estos puntos se encuentran a los lados del vaso regulador, que corre a lo largo del centro del cuerpo. Esta maniobra alivia tensiones y levanta el ánimo.

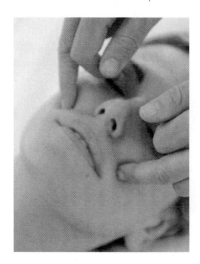

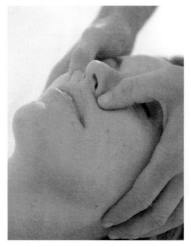

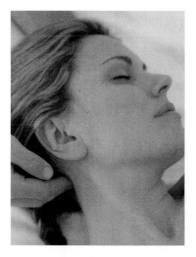

mejillas Apoyar los dedos bajo los pómulos, a los costados de la nariz. Recorrer debajo de las mejillas hasta hallar una hendidura. Presionar hacia arriba, por debajo del pómulo, y aflojar. Estos puntos se encuentran en el meridiano del estómago y ayudan a aliviar la sinusitis y la congestión en general.

aletas nasales Poner los pulgares a ambos lados de la nariz, justo debajo del borde de las aletas nasales. Presionar hacia abajo y un poco hacia dentro durante tres segundos y aflojar. Estos puntos están sobre el meridiano del intestino grueso y alivian la sinusitis y la congestión nasal.

nuca Sostener la cabeza con una mano y con los dedos de la otra presionar en la base del cráneo. Comenzar junto a la columna y presionar en tres intervalos regulares, finalizando detrás de la oreja. Estos puntos están sobre los meridianos de la vejiga y la vesícula y alivian las cefaleas, las tensiones y los resfriados.

las articulaciones

Cualquier trabajo sobre las articulaciones implica movimientos pasivos, en los cuales su compañero permanece completamente relajado mientras usted manipula sus miembros. Esto ayuda a aflojar los tejidos blandos que las rodean, que pueden endurecerse por las tensiones musculares. Además, es una parte muy grata del masaje. La clave es que el compañero deje caer todo el peso del cuerpo mientras usted lo sostiene y lleva a cabo los movimientos con suavidad. No se adelante. Si siente resistencia, afloje la presión y si su compañero se tensa, haga más lento el movimiento o deténgalo hasta que se relaje nuevamente. De no hacerlos, o bien su compañero hará el movimiento por usted, o bien se sentirá incómodo.

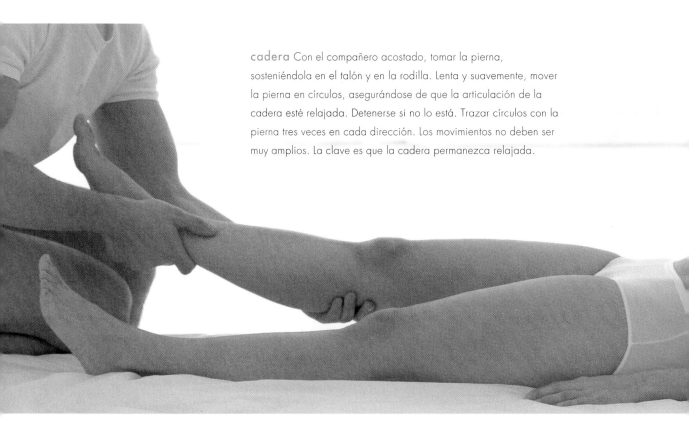

cadera Con el compañero acostado, tomar la pierna, sosteniéndola en el talón y en la rodilla. Lenta y suavemente, mover la pierna en círculos, asegurándose de que la articulación de la cadera esté relajada. Detenerse si no lo está. Trazar círculos con la pierna tres veces en cada dirección. Los movimientos no deben ser muy amplios. La clave es que la cadera permanezca relajada.

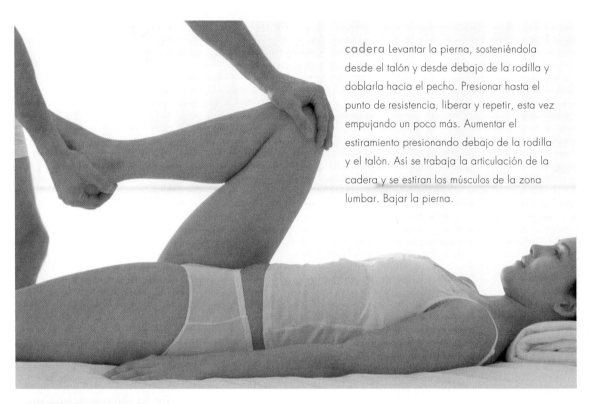

cadera Levantar la pierna, sosteniéndola desde el talón y desde debajo de la rodilla y doblarla hacia el pecho. Presionar hasta el punto de resistencia, liberar y repetir, esta vez empujando un poco más. Aumentar el estiramiento presionando debajo de la rodilla y el talón. Así se trabaja la articulación de la cadera y se estiran los músculos de la zona lumbar. Bajar la pierna.

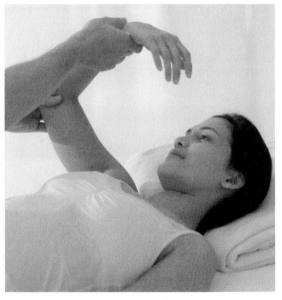

muñecas Con el antebrazo levantado y descansando sobre la cadera, sostener la mano con firmeza. Luego trazar círculos muy lentamente tres veces en cada dirección, doblando el brazo cada vez solo hasta el punto en que resulte cómodo. Cuando más suave sea la rotación, mejor.

hombro Con el compañero acostado, levantar el brazo, sosteniéndolo por la muñeca y el codo. Trazar círculos, tres veces en cada dirección, guiando el movimiento con las manos. Practicar círculos tan amplios como pueda, pero manteniendo el movimiento parejo.

masaje
avanzado

Con este masaje tendrá la oportunidad de trabajar de una manera un poco diferente. Trabajará de un modo más detallado, concentrándose en la calidad y la intensidad de los movimientos y adaptando las técnicas a la musculatura de su compañero. Es importante que pueda prestar atención al cuerpo de su compañero y así saber cuándo debe continuar con una técnica y cuándo debe detenerse. Además de atender al masaje de los músculos, las nuevas técnicas se centrarán en los puntos de presión, los estiramientos y las articulaciones.

la espalda

Además de practicar los movimientos amplios que se mostraron en el masaje simple, ahora tenemos la oportunidad de centrarnos en zonas específicas, concentrarnos en los puntos que suelen tensarse y trabajar más profundamente sobre los hombros y la zona lumbar. Desde el primer momento, entrene sus manos para captar las zonas tensas. Sienta las formas de los músculos de su compañero y concéntrese en el modo en que se liberan mientras los masajea. Comenzará a percibir cuáles son los movimientos que tranquilizan y cuáles los que relajan y hacen que la tensión se disperse. No se incluyen aquí el *effleurage* y los movimientos de apoyar. Es importante que recuerde que debe practicarlos antes de cada etapa.

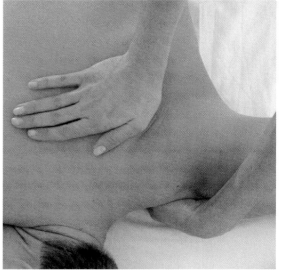

1 **aflojar el hombro** Aceitar las manos y practicar el *effleurage* sobre la espalda del compañero, aflojando la zona que rodea los omóplatos. Se trata de aflojar las tensiones y tratar de que la zona se relaje. Usar la palma de la mano y buscar con las puntas de los dedos los puntos que parezcan particularmente tensos.

2 **tirar del hombro** Colocar una mano debajo del hombro del compañero y la otra sobre la parte superior, como si fuese un emparedado. Tirar suavemente, más hacia usted que hacia arriba. El hombro debe moverse visiblemente mientras se relaja. Deslizar las manos hacia usted por el hombro.

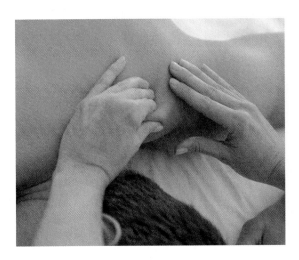 

3 amasar el hombro Colocar las manos en la parte
superior del hombro del compañero. Amasar los
músculos yendo hacia el cuello y regresando varias veces.
Presionar con los pulgares, particularmente cuando sienta
alguna tensión, y enrollar los músculos entre los dedos y los
pulgares, mientras tira de ellos hacia usted.

4 empujar a través del hombro Colocar las
puntas de los pulgares juntas encima del omóplato.
Con los pulgares rectos, presionar sobre los músculos del
hombro, comenzando desde la base del cuello y
deslizándose hacia el brazo. Aflojar la presión en la
articulación del hombro y repetir el movimiento.

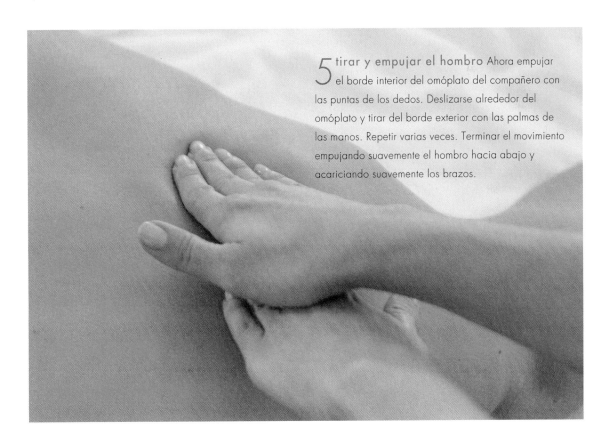

5 tirar y empujar el hombro Ahora empujar
el borde interior del omóplato del compañero con
las puntas de los dedos. Deslizarse alrededor del
omóplato y tirar del borde exterior con las palmas de
las manos. Repetir varias veces. Terminar el movimiento
empujando suavemente el hombro hacia abajo y
acariciando suavemente los brazos.

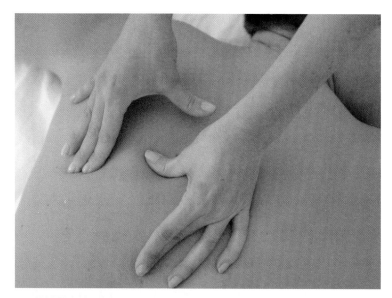

6 **hacia abajo por la columna** Desde la misma posición, ir girando los pulgares alternativamente, recorriendo hacia abajo la columna del compañero, para liberar tensiones. Comenzar justo debajo de la base del cuello e ir girando los dedos sobre los músculos de los costados de la columna hasta la zona lumbar. Mientras un pulgar gira, el otro se levanta. Repetir varias veces.

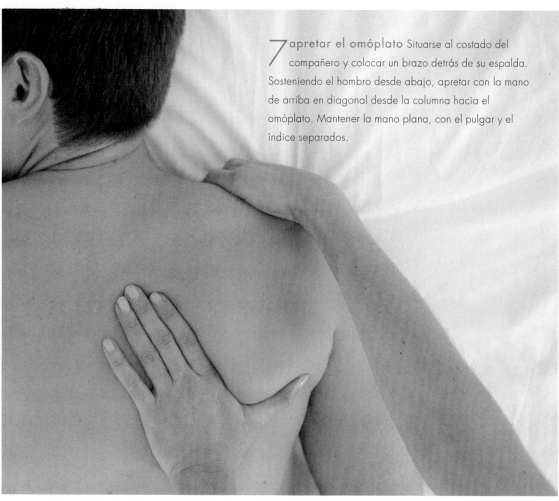

7 **apretar el omóplato** Situarse al costado del compañero y colocar un brazo detrás de su espalda. Sosteniendo el hombro desde abajo, apretar con la mano de arriba en diagonal desde la columna hacia el omóplato. Mantener la mano plana, con el pulgar y el índice separados.

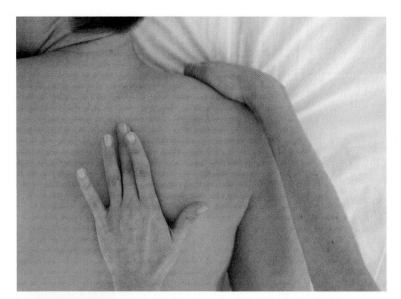

8 tirar alrededor del hombro

Colocar la mano libre sobre la parte superior del hombro del compañero, justo en la base del cuello. Arquear los dedos sobre los músculos y comenzar a tirar en dirección a usted, deslizando la mano por el borde interior del omóplato. Mantener los dedos planos y hacer presión donde sienta tensiones.

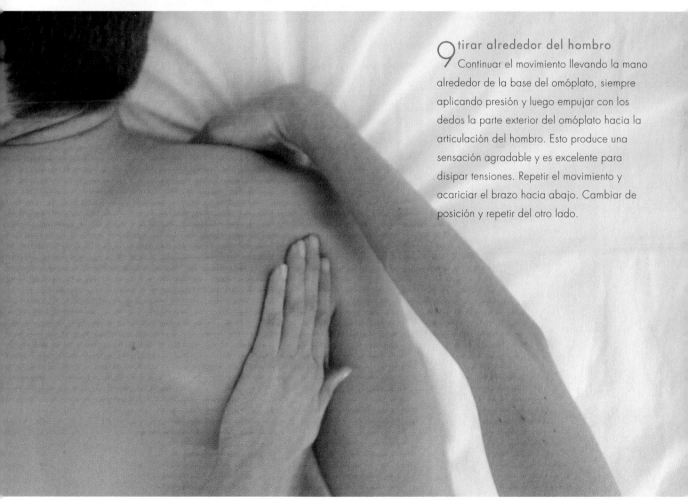

9 tirar alrededor del hombro

Continuar el movimiento llevando la mano alrededor de la base del omóplato, siempre aplicando presión y luego empujar con los dedos la parte exterior del omóplato hacia la articulación del hombro. Esto produce una sensación agradable y es excelente para disipar tensiones. Repetir el movimiento y acariciar el brazo hacia abajo. Cambiar de posición y repetir del otro lado.

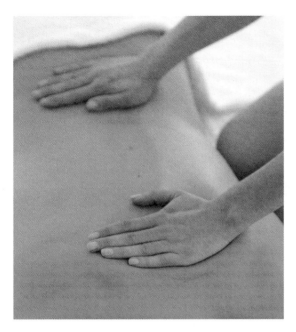

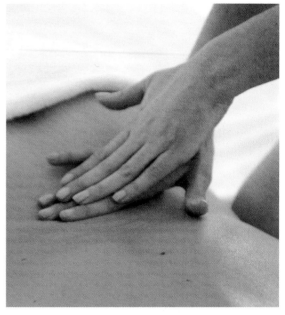

10 estiramiento de la zona lumbar Primero practique el *effleurage* de la zona lumbar. Colocar ambas manos juntas en el centro de la espalda y deslizar una mano hacia abajo en dirección al sacro. Continuar el estiramiento sobre el sacro, empujando suavemente con la otra mano en la dirección opuesta. Practicar este movimiento una vez, con cuidado.

11 movimientos circulares sobre el sacro Colocar ambas manos, una sobre la otra, sobre el sacro. Describir movimientos circulares en sentido opuesto a las agujas del reloj, manteniendo las manos planas y usando la de arriba para hacer presión. Los movimientos deben ser amplios para liberar la tensión en la zona lumbar. Controle siempre el grado de presión.

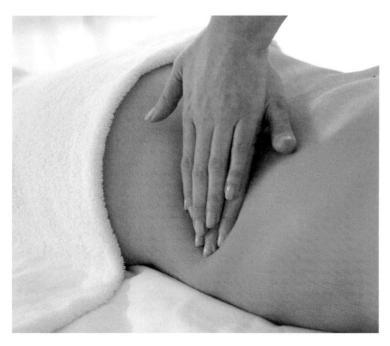

12 tirar alrededor de la cadera Ubicar ambas manos en el lado más alejado de la columna del compañero, justo encima de la cadera. Empujar hacia abajo con ambas manos, estirando y alejando los músculos. Continuar practicando movimientos circulares alrededor de la cadera y tirando hacia abajo, sobre la nalga. Practicar la primera parte del movimiento con la mano plana y luego terminar haciendo presión con las bases de las manos. Repetir varias veces.

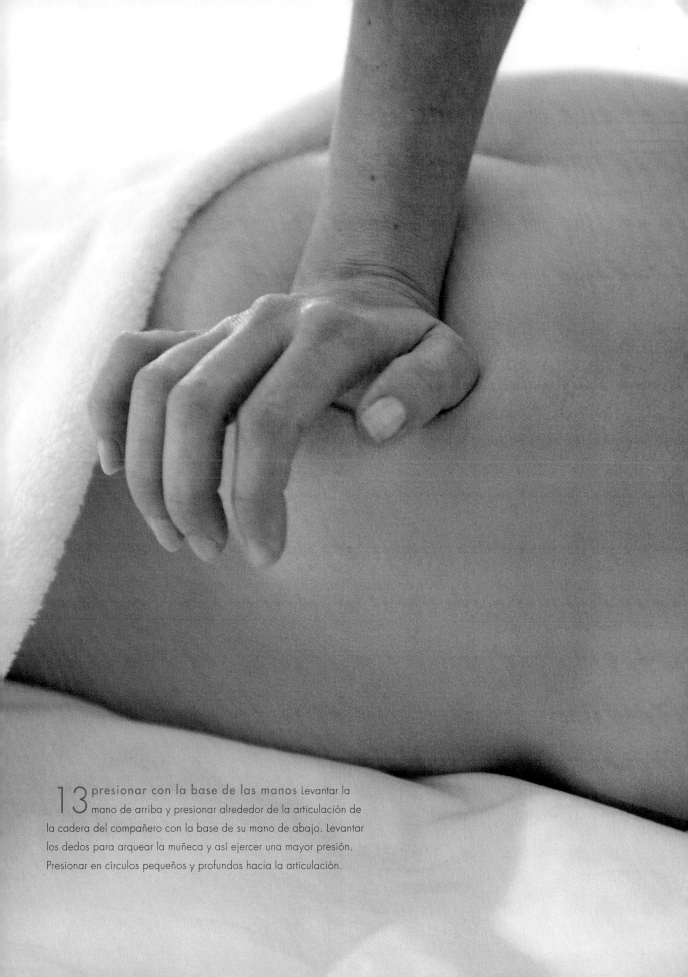

13 presionar con la base de las manos Levantar la
mano de arriba y presionar alrededor de la articulación de
la cadera del compañero con la base de su mano de abajo. Levantar
los dedos para arquear la muñeca y así ejercer una mayor presión.
Presionar en círculos pequeños y profundos hacia la articulación.

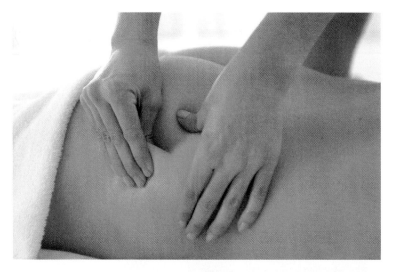

14 amasar Comenzar a amasar las nalgas del compañero para aflojar los músculos. Presionar con los pulgares y enrollar en dirección a usted con los dedos. Aplicar presión firme sobre el área blanda del músculo, trabajando rítmicamente y alternando las manos. Centrarse particularmente en las zonas tensionadas.

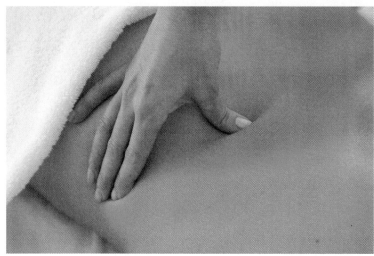

15 círculos con los pulgares Ubicar el pulgar en la parte superior del sacro del compañero, justo en el borde de la columna. Con la punta del pulgar, practicar pequeños movimientos circulares hacia fuera, sobre el sacro. Controlar con el compañero el grado de presión. Repetir, comenzando cada vez un poco más abajo sobre la columna.

16 manipulación con los pulgares Girar ambos pulgares en diagonal sobre la nalga, desde el sacro hacia la cadera. Alternar los pulgares, de modo que el movimiento sea continuo y ondulante. Presionar solo sobre los músculos, repitiendo varias veces la manipulación. Esto produce una sensación muy agradable y ayuda a disipar las tensiones.

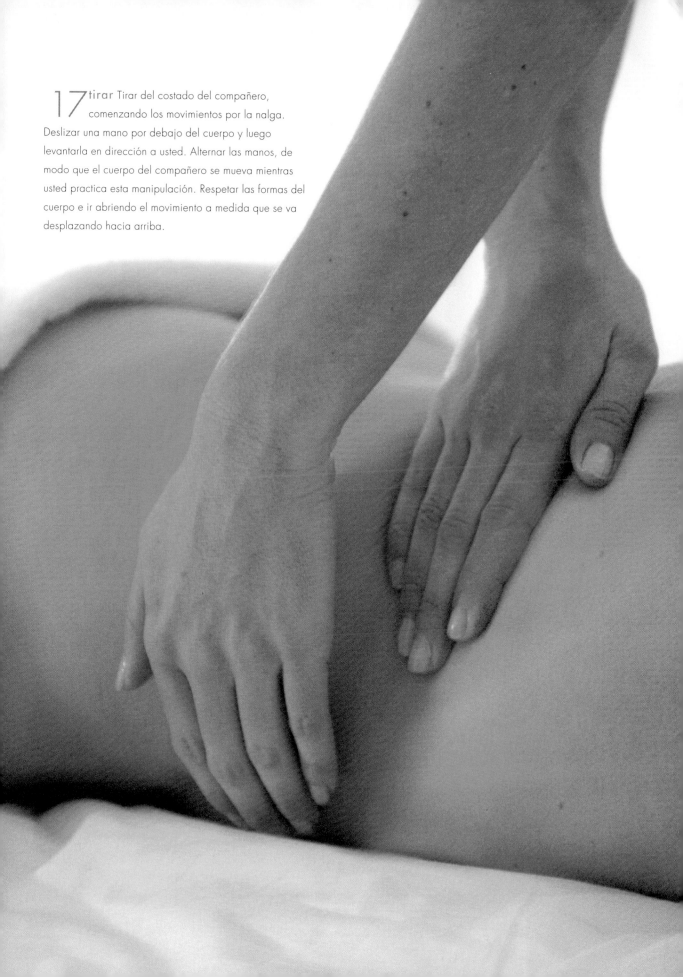

17 tirar Tirar del costado del compañero, comenzando los movimientos por la nalga. Deslizar una mano por debajo del cuerpo y luego levantarla en dirección a usted. Alternar las manos, de modo que el cuerpo del compañero se mueva mientras usted practica esta manipulación. Respetar las formas del cuerpo e ir abriendo el movimiento a medida que se va desplazando hacia arriba.

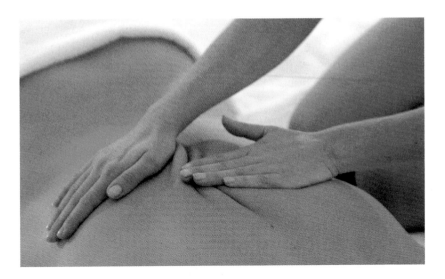

18 torsión Colocar una mano en la parte más distante de la zona lumbar y la otra por encima de la cadera que está más cerca. Acercar la mano más distante y empujar con la otra. De este modo, logrará una torsión de los músculos mientras sus manos se cruzan y se deslizan cada una hacia el lado opuesto. Repetir

19 estiramiento con antebrazos Apoyar ambos antebrazos juntos sobre la mitad de la espalda, uno enfrentado al otro. Volver los antebrazos y separarlos el uno del otro lentamente, hasta llegar a los hombros y a la cadera. Aplicar el peso del cuerpo para lograr un mayor estiramiento. Repetir cada paso del otro lado.

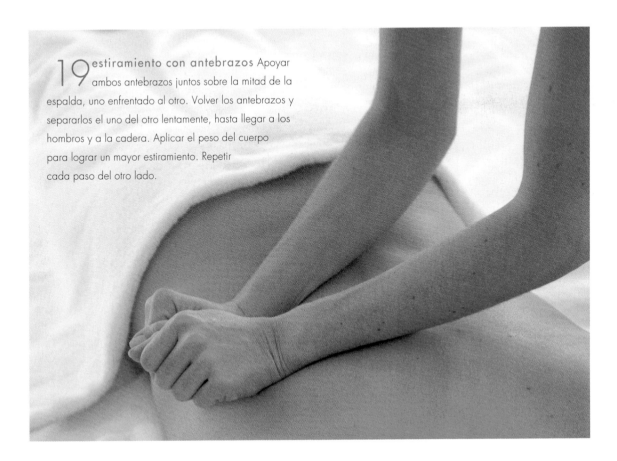

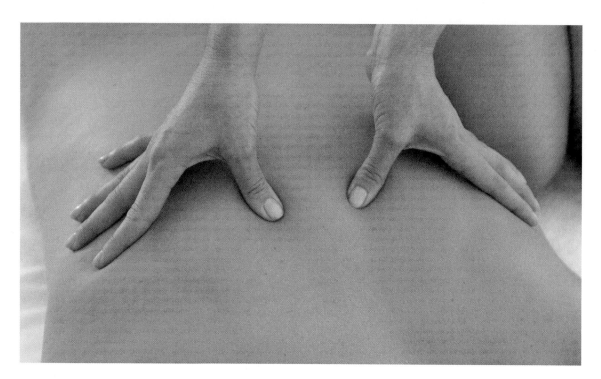

20 **movimientos circulares en columna** Colocar ambas manos juntas en la base de la columna del compañero, con las yemas de los pulgares apoyadas sobre los músculos que están a ambos lados. Comenzar a practicar movimientos circulares, ascendiendo por la columna y deslizando las manos hacia el cuello. Aflojar en la base del cráneo.

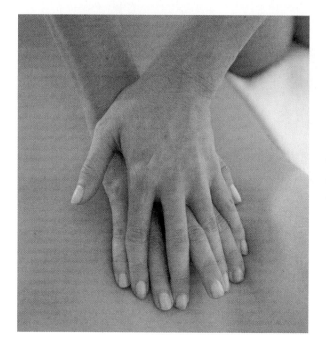

21 **rastrillar la columna** Colocar ambas manos juntas en la parte superior de la columna y rastrillar hacia abajo, hasta la zona lumbar. Usar las yemas de los dedos para masajear los músculos que rodean la columna. Esto elimina tensiones y aumenta la conciencia corporal del compañero. Repetir varias veces, masajeando la columna hacia abajo y luego apoyar las manos sobre la espalda.

la parte posterior de las piernas

Ahora ya puede trabajar más profundamente sobre aquellas zonas de las piernas donde percibe mayores tensiones. El uso de los pulgares y de la base de las manos permite a sus manipulaciones penetrar más profundamente. Se incluyen algunas técnicas para aflojar las articulaciones, ya que es un rasgo peculiar de este masaje. Deberá seguir siendo cuidadoso y controlar el grado de presión que aplica. Algunas mujeres sienten dolor en las pantorrillas o tienen muslos muy sensibles. Si su compañero siente cosquillas en los muslos, trabaje con masajes firmes y definidos. Antes de practicar estiramientos, averigüe siempre si su compañero padece de algún problema en la cadera o en la rodilla.

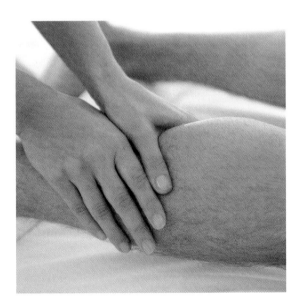

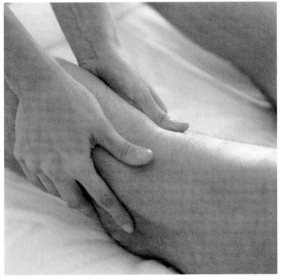

1 **apretar la pantorrilla** Practicar el *effleurage*. Colocar la mano sobre la pantorrilla, con el pulgar a un lado y los dedos al otro. Comenzar a apretar los músculos de la pantorrilla, trabajando con el pulgar sobre las áreas tensionadas. Frotar, presionar y apretar los músculos. Aflojar cerca de la rodilla.

2 **masajear sobre la rodilla** Ahuecar las manos y ubicarlas a los lados de la pierna, con los pulgares juntos en el centro de la parte posterior de la rodilla. Apartar las manos, masajeando suavemente con los pulgares la parte posterior de las rodillas. Este masaje es muy agradable y alivia las tensiones de la articulación.

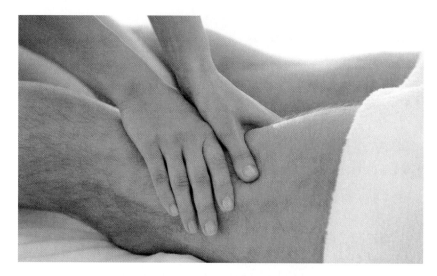

3 apretar el muslo Colocar las manos juntas en la parte posterior de
la pierna, comenzando justo arriba de la rodilla. Abrir bien las manos
de modo que los pulgares estén de un lado de los músculos y el resto de los
dedos del otro. Apoyar el peso del cuerpo al masajear, apretando bien el
muslo. Aflojar la presión cerca de la nalga. Repetir varias veces.

4 presión con las bases Con la base de la mano apretar la parte
exterior del muslo del compañero. Doblar la muñeca y levantar los dedos
para poder aplicar una presión bien firme con las bases de las manos.
Comenzar justo arriba de la rodilla y apretar el muslo a todo lo largo,
rodeando la cadera. Repetir.

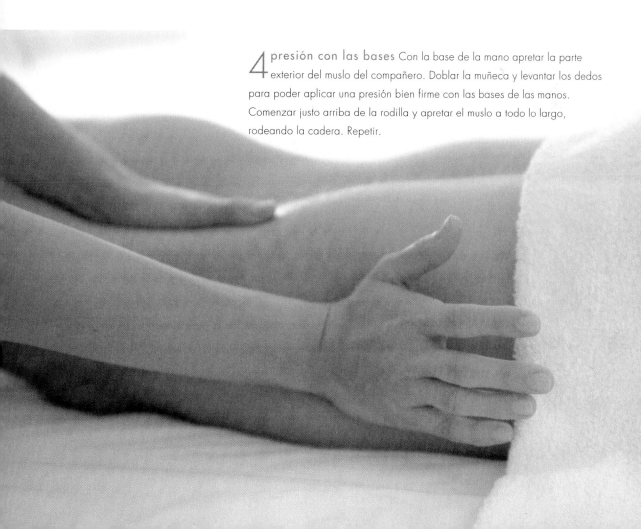

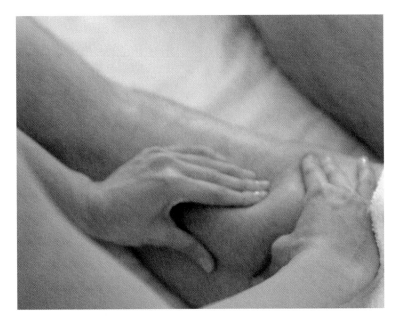

5 amasar el muslo Comenzar el amasado en la parte posterior y exterior del muslo, presionando con los pulgares y enrollando los músculos en dirección a usted. Desplazarse hacia arriba y hacia abajo sobre la pierna, percibiendo los puntos tensionados. Aflojar la presión cerca de la rodilla y de la cadera.

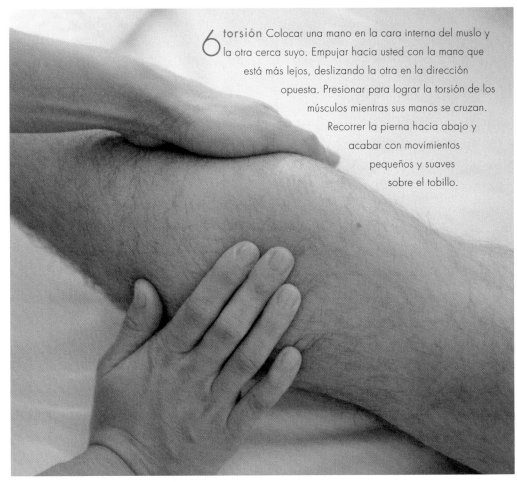

6 torsión Colocar una mano en la cara interna del muslo y la otra cerca suyo. Empujar hacia usted con la mano que está más lejos, deslizando la otra en la dirección opuesta. Presionar para lograr la torsión de los músculos mientras sus manos se cruzan. Recorrer la pierna hacia abajo y acabar con movimientos pequeños y suaves sobre el tobillo.

7 estirar la pierna Colocar una mano sobre el talón y la otra por debajo. Suavemente tirar de la pierna en dirección a usted. Mantener la espalda lo más derecha posible para evitar el esfuerzo. El estiramiento provendrá sobre todo de la mano de abajo y su compañero debe sentirlo en la cadera.

8 movimientos circulares Colocar una mano debajo del tobillo, para levantar la pantorrilla. Usando la otra mano como sostén, practicar con la pierna tres círculos en cada dirección. Trazar círculos amplios, asegurándose de que el compañero deje caer todo el peso de la pierna y le permita a usted realizar los movimientos sin que él intervenga. Este movimiento relaja la rodilla y la cadera.

los pies

El masaje en los pies y los tobillos completa el masaje de la parte posterior
del cuerpo. En un masaje corporal completo es fundamental la inclusión de
los pies. Esta posición es buena para masajear las plantas de los pies, así
como para efectuar movimientos pasivos sobre la articulación del tobillo. Las
plantas de los pies son muy sensibles y tienen muchas terminaciones nerviosas
y zonas reflejas, por lo que el masaje allí puede afectar a distintos órganos
del cuerpo, además de resultar muy relajante. Asegúrese de trabajar bien
sobre los pies, para lograr una sensación de plenitud. Tenga cuidado con el
empeine, ya que allí la presión debe ser mínima. La relajación consciente
puede ayudar a evitar las cosquillas.

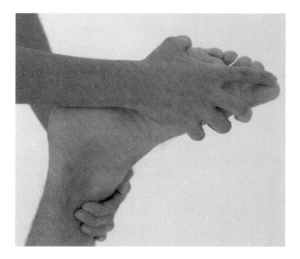

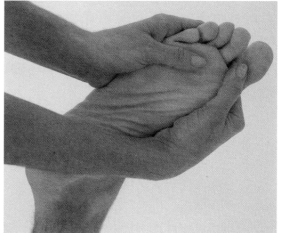

1 **rotación del tobillo** Con la pierna del
compañero levantada y sostenida, colocar la otra
mano sobre la planta del pie. Tomar el monte con los
dedos, apoyar el antebrazo sobre el talón y comenzar
a rotar lentamente el pie. Trazar con el pie círculos tan
amplios y completos como sea posible. Repetir el
movimiento tres veces en cada dirección.

2 **retorcer el pie** Sostener ambos lados del pie del
compañero con las palmas de las manos. Presionar,
empujando hacia abajo con los dedos de una mano y
tirando hacia arriba con la base de la otra, para retorcer
el pie. Ejercer presión hasta el punto de resistencia y repetir
la acción en el sentido contrario. Esto ayuda a estirar los
músculos y proporciona alivio al compañero.

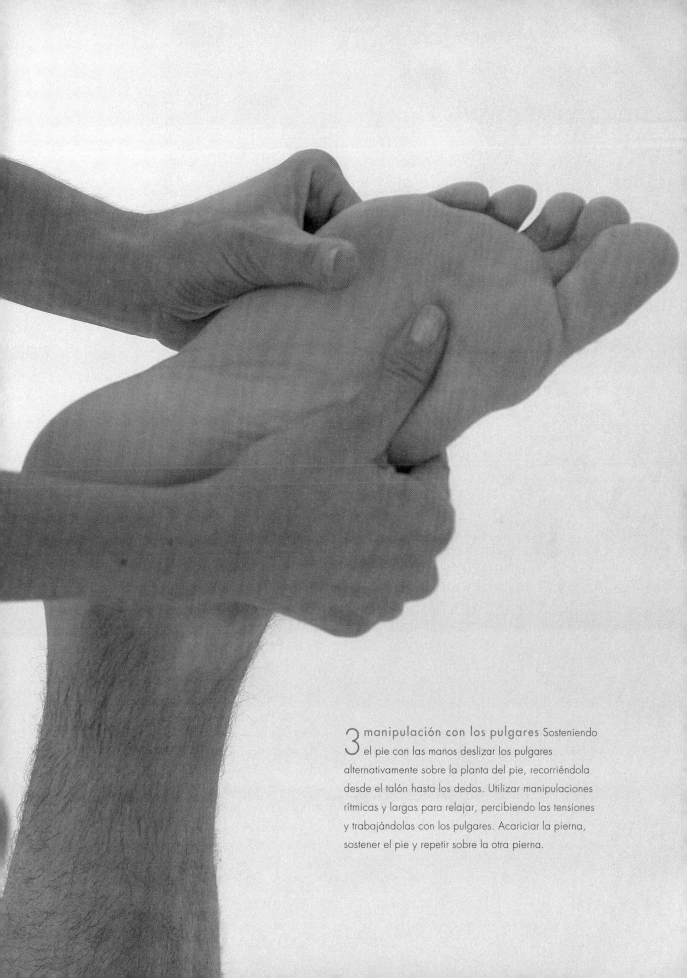

3 **manipulación con los pulgares** Sosteniendo
el pie con las manos deslizar los pulgares
alternativamente sobre la planta del pie, recorriéndola
desde el talón hasta los dedos. Utilizar manipulaciones
rítmicas y largas para relajar, percibiendo las tensiones
y trabajándolas con los pulgares. Acariciar la pierna,
sostener el pie y repetir sobre la otra pierna.

el cuello

Esta parte del masaje le da la oportunidad de trabajar sobre los músculos del cuello y estirar la columna. En realidad, yo nunca daría un masaje en la espalda sin trabajar el cuello. Cuando practique este masaje, debe tener la sensación de estar liberando las tensiones en el cuello, además de concentrarse en el movimiento y la flexibilidad. La tensión en la espalda y en los hombros casi siempre afecta al cuello, y esto es a su vez causa de dolores de cabeza. Los movimientos finales relajantes suelen aliviar tales dolores. Cuando masajee el cuello de su compañero, tómese mucho tiempo. De todos los masajes, los que se practican sobre la espalda y el cuello son los más benéficos y los más apreciados.

1 **estiramiento de cuello** Sentarse junto a la cabeza del compañero y frotar un poco de aceite en las manos. Colocar las puntas de los dedos en la parte superior del pecho y llevarlas hacia fuera, sobre los hombros hasta la parte posterior del cuello, ahuecando las manos sobre la base del cráneo. Tirar hacia usted, llevando el mentón hacia abajo y alargando la columna. Deslizar los dedos por el cráneo y aflojar.

2 **volver el cuello** Colocar las manos a ambos lados del cuello. Hacer girar una mano sobre los músculos del cuello, volviendo la cabeza del compañero hacia el lado opuesto. Sostener la cabeza con la mano libre. Repetir el movimiento con la otra mano, haciendo voltear nuevamente la cabeza del compañero. Volver la cabeza a ambos lados varias veces, asegurándose de que el compañero esté totalmente relajado.

3 empujar los hombros

Volver la cabeza hacia un lado, con las manos ahuecadas sobre el cráneo. Sostener la cabeza desde abajo con una mano y ubicar la otra sobre el hombro opuesto. Empujar hacia abajo para estirar, pero solo hasta el punto en que resulte cómodo. Con la mano que sostiene, puede estirar ligeramente en sentido contrario. Aflojar y repetir.

4 levantar el costado del cuello

Manteniendo la mano de apoyo debajo de la cabeza del compañero, deslizar la mano libre sobre la espalda tanto como pueda. Asegurarse de poner la mano al costado de la columna. Presionar con los dedos y levantar los músculos hacia la base del cráneo. La presión debe ser más suave sobre el cuello. Repetir para lograr una liberación profunda de las tensiones.

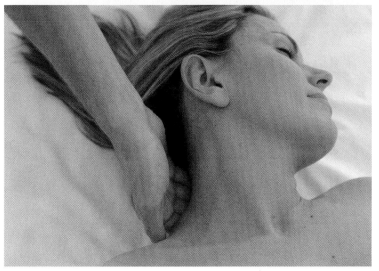

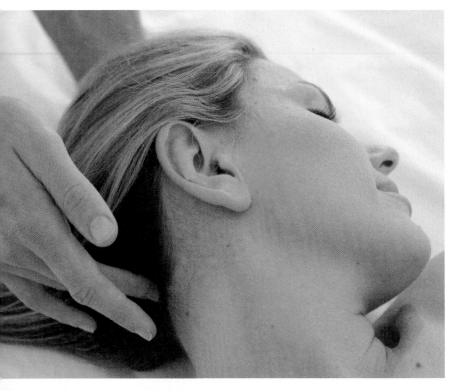

5 presionar bajo el cráneo Localizar una protuberancia ósea en la base del cráneo del compañero. Colocar las puntas de los dedos por debajo de esta, justo al costado de la columna. Presionar hacia adentro con las puntas de los dedos. Si el compañero se siente cómodo, aumentar la presión y luego aflojar. Continuar apretando y aflojando en forma pareja y a intervalos regulares, siguiendo la protuberancia hacia la oreja.

6 rotación del cuero cabelludo Arquear la mano y poner las puntas de los dedos sobre el cuero cabelludo del compañero. Presionando, hacer girar la mano sobre el cuero cabelludo. Este movimiento debe ser cuidadoso y preciso. Mientras lo hace, la piel debe moverse. Levantar la mano y repetir el movimiento. Trabajar con firmeza sobre el cuero cabelludo, sin alterar la posición de los dedos.

7 tirar del cabello Frotar firmemente la cabeza del compañero. Para terminar, deslizar los dedos por el cabello y tirar suavemente de las raíces. Repetir el movimiento tomando el cabello con firmeza y aplicando un suave tirón. Esto relaja y estimula el cuero cabelludo. Terminar tirando suavemente de unos pocos mechones y repetir los movimientos del otro lado.

el rostro

Al masajear el rostro trabajará solo sobre algunos de los muchos puntos de presión que este posee. Como los movimientos que se practican son muy precisos, sus dedos deberán ser sensibles a la posición de los músculos y a captar sus respuestas. Deberá palpar con las puntas de los dedos la zona a trabajar, ayudándose con la estructura ósea. Al masajear la frente, usted debe mantener la mente lo más clara posible para ayudar a la relajación. Una mente tranquila y un contacto parejo surtirán sobre su compañero más efecto del que usted piensa. Nuevamente debe asegurarse de que sus movimientos finalicen de manera ascendente. Si los ojos de su compañero comienzan a moverse bajo los párpados, será muy buen signo.

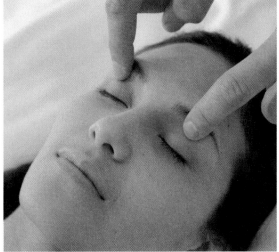

1 **masajear la frente** Apoyar ambas manos a los lados de la cabeza del compañero y colocar los pulgares juntos en el centro de la frente. Lentamente apartar los pulgares, llevándolos a través de la frente hacia las raíces de los cabellos. Aplicar una suave presión con los pulgares, aflojando suavemente al finalizar. Repetir dos veces.

2 **presionar las cavidades oculares** Con la punta de los índices, presionar suavemente hacia arriba desde debajo del borde de la cavidad ocular. Comenzar cerca de la nariz, debajo de la parte interna de las cejas, y trabajar a lo largo del ojo hacia fuera, ejerciendo presión a intervalos breves y regulares. Seguir la curva natural del borde externo evitando el contacto con el ojo.

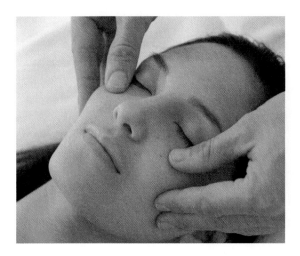 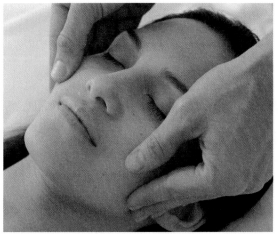

3 presionar las cavidades oculares

Continuar justo por encima del borde inferior de la cavidad ocular. Comenzar desde el borde externo y presionar a intervalos regulares a lo largo de la línea del hueso con las puntas de los pulgares. Trabajar hacia la nariz y aflojar la presión en el borde interno.

4 masajear por debajo de las mejillas

Apoyar las manos a los costados del rostro. Ubicar las yemas de los pulgares justo debajo de los pómulos y masajear hacia fuera desde la nariz hacia la mandíbula. Presionar hacia fuera por debajo del hueso, sin estirar la piel. Aflojar la presión al acercarse a las orejas.

5 masajear las mejillas

Poner las manos justo encima de los pómulos y, con los costados de las yemas de los pulgares, masajear las mejillas hacia fuera, en dirección a las orejas. Aplicar una presión muy precisa. Regresar hacia la nariz, ubicar los pulgares ligeramente por encima de las mejillas y repetir el movimiento. Trabajar por franjas pequeñas sobre las mejillas, en dirección ascendente.

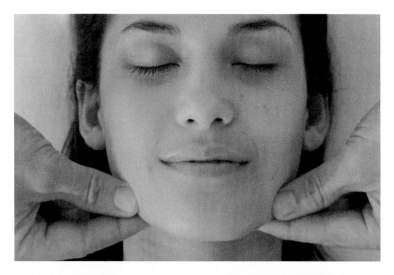

6 **pellizcar la mandíbula**
Colocar las manos en el centro del mentón del compañero, con los pulgares justo encima del mentón y el resto de los dedos por debajo. Pellizcar suavemente los músculos y el tejido blando entre los pulgares y los índices y oprimir a intervalos regulares, trabajando a lo largo de la línea de la mandíbula. Continuar apretando hasta llegar al ángulo de la mandíbula.

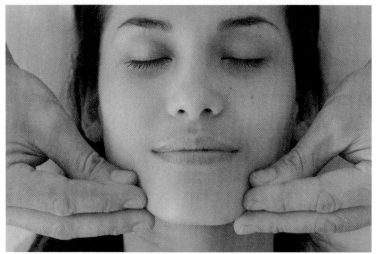

7 **masajear por debajo del mentón** Regresar al centro del mentón del compañero. Ahuecar las manos alrededor del mentón, esta vez con las puntas de los dedos tocándose en medio. Separar las manos lentamente y llevarlas hacia las orejas. Deslizarlas en dirección ascendente, masajeando por debajo de la línea de la mandíbula. Este es un masaje lento y extenso, excelente para ayudar a dispersar tensiones.

8 **movimientos circulares en la mandíbula** Deslizar las puntas de los dedos y llevarlas hasta los músculos de la mandíbula. Practicar movimientos circulares en dirección a usted sobre los músculos de la mandíbula. Si los músculos se perciben tensos, pida a su compañero que se relaje. Abrir ligeramente la mandíbula ayudará a la relajación. Este masaje puede aliviar el estrés y es útil para reducir las cefaleas.

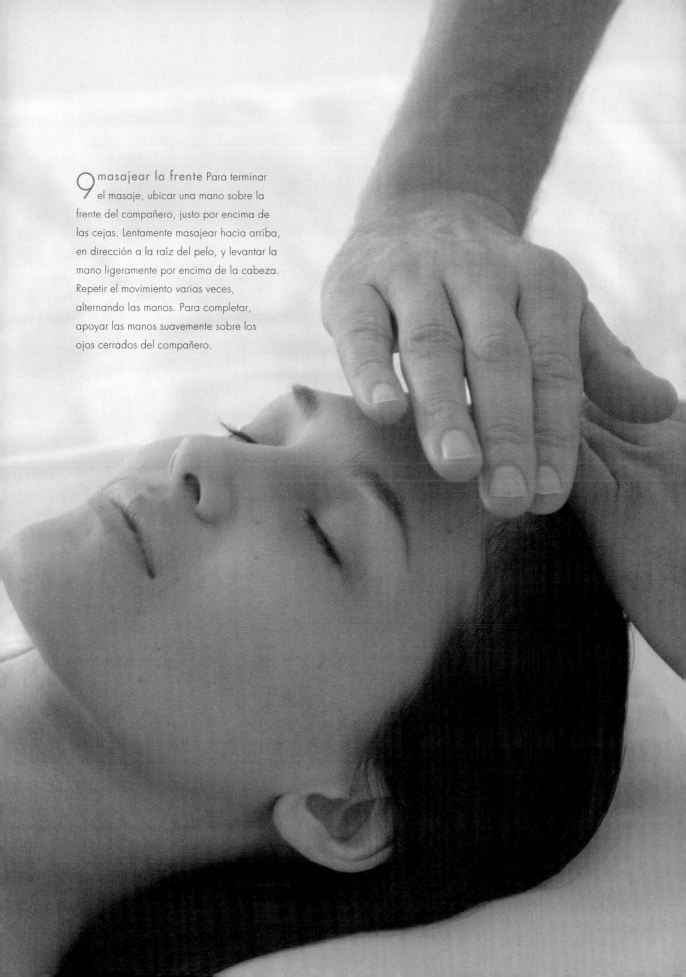

9 **masajear la frente** Para terminar el masaje, ubicar una mano sobre la frente del compañero, justo por encima de las cejas. Lentamente masajear hacia arriba, en dirección a la raíz del pelo, y levantar la mano ligeramente por encima de la cabeza. Repetir el movimiento varias veces, alternando las manos. Para completar, apoyar las manos suavemente sobre los ojos cerrados del compañero.

los brazos

Los movimientos de presión esta vez cubrirán la mayor parte de la superficie de los brazos. Se puede aprovechar este momento para sentir mejor los músculos, percibir las tensiones con las yemas de los dedos y adquirir mayor efectividad y precisión. Los movimientos circulares y de estiramiento promoverán la flexibilidad en general y darán una sensación de libertad, ayudando especialmente a aflojar los hombros. Las manipulaciones deben ser suaves y tranquilas, para ayudar a que el compañero se relaje. Si siente que su compañero se tensiona o se retrae, haga más lentos los movimientos o deténgase hasta que sienta que los músculos se aflojan. Así, su compañero aprenderá a relajarse. Esto incide mucho en los beneficios del masaje.

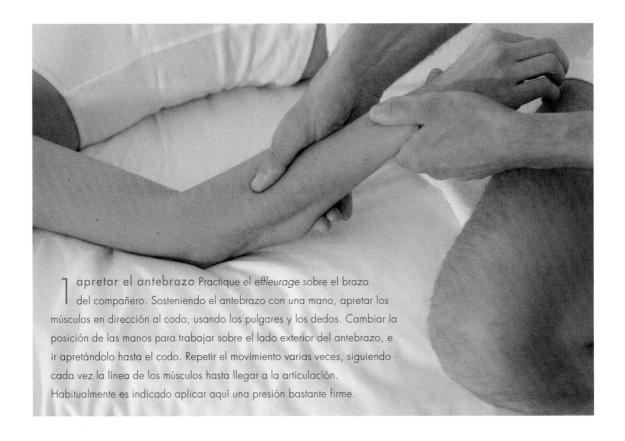

1 apretar el antebrazo Practique el *effleurage* sobre el brazo del compañero. Sosteniendo el antebrazo con una mano, apretar los músculos en dirección al codo, usando los pulgares y los dedos. Cambiar la posición de las manos para trabajar sobre el lado exterior del antebrazo, e ir apretándolo hasta el codo. Repetir el movimiento varias veces, siguiendo cada vez la línea de los músculos hasta llegar a la articulación. Habitualmente es indicado aplicar aquí una presión bastante firme.

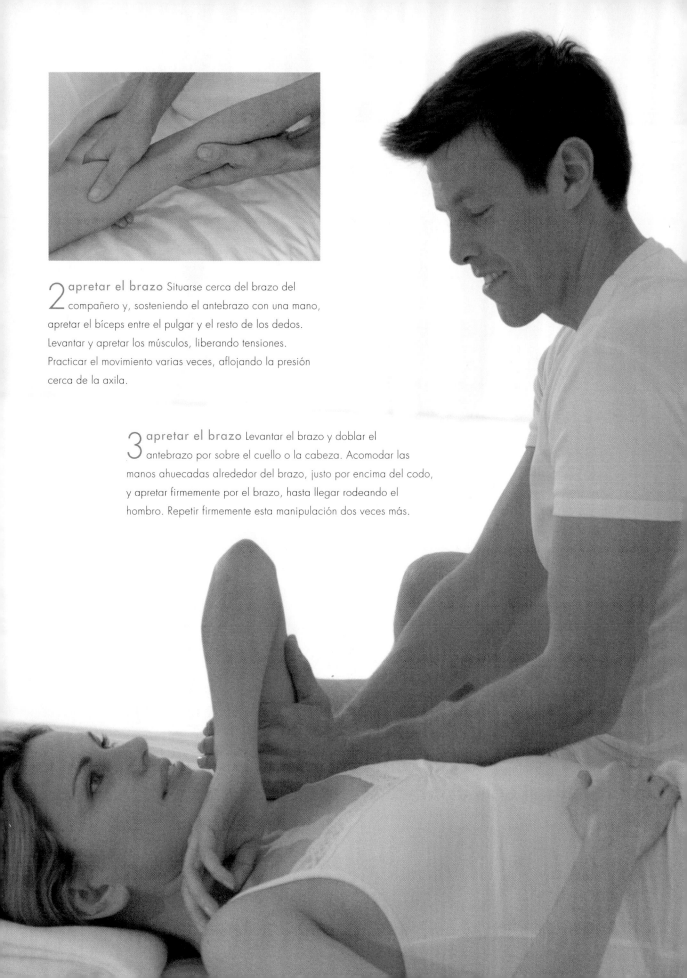

2 apretar el brazo Situarse cerca del brazo del
compañero y, sosteniendo el antebrazo con una mano,
apretar el bíceps entre el pulgar y el resto de los dedos.
Levantar y apretar los músculos, liberando tensiones.
Practicar el movimiento varias veces, aflojando la presión
cerca de la axila.

3 apretar el brazo Levantar el brazo y doblar el
antebrazo por sobre el cuello o la cabeza. Acomodar las
manos ahuecadas alrededor del brazo, justo por encima del codo,
y apretar firmemente por el brazo, hasta llegar rodeando el
hombro. Repetir firmemente esta manipulación dos veces más.

4 movimientos circulares en el brazo
Levantar el brazo del compañero, con una mano en la muñeca y la otra sosteniendo el codo. Lentamente practicar movimientos circulares hacia fuera, asegurándose de que la articulación del hombro esté relajada. Guiar el brazo con las manos, dibujando círculos amplios tres veces.

5 estiramiento Estirar el brazo del compañero como antes, tomándolo por la muñeca y sosteniendo el codo. Al llegar al máximo del estiramiento, llevar el brazo hacia atrás y estirarlo por detrás de la cabeza del compañero. Dejar que el brazo se relaje y luego tirar hacia arriba y hacia atrás una vez más.

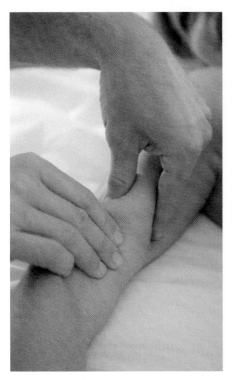

6 **amasar el brazo** Con el brazo del compañero apoyado en forma plana, comenzar a amasar los músculos del frente de los brazos. Empujar con los pulgares y enrollar los músculos en dirección a usted, concentrándose en los puntos tensionados. Amasar los músculos varias veces, siempre con movimientos pequeños.

7 **abrir la mano** Ahuecar las manos alrededor del brazo, con los pulgares juntos en el centro, en dirección a usted. Lentamente apartar los pulgares, presionando con la base. Repetir el masaje por todo el brazo. Luego masajear la mano de la misma manera, arqueándola con los dedos y la base de los pulgares.

las manos

A la mayoría de las personas les gusta que les masajeen las manos. Allí hay muchos puntos de presión y zonas reflejas, lo mismo que en los pies, que son muy sensibles y responden bien al contacto. Tómese su tiempo para trabajar bien sobre las palmas, las muñecas y las articulaciones de los dedos. Practique los movimientos lentamente, para lograr el mayor alivio posible. Deberá encontrar un equilibrio entre la delicadeza y la efectividad de los movimientos. Al masajear las manos, podrá liberar tensiones a través de las puntas de los dedos y, con el masaje final, estimulará y levantará el ánimo. El masaje de las extremidades es una parte importante del masaje corporal. Prestar atención a cada parte del cuerpo da una sensación de plenitud.

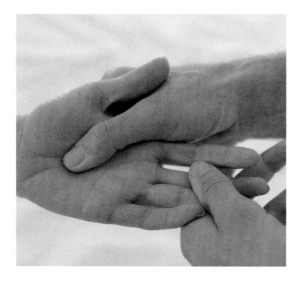

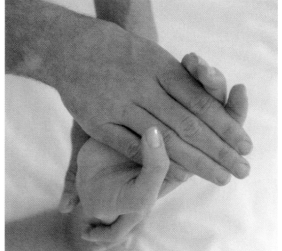

1 **movimientos circulares en las palmas**
Volver la mano del compañero y sostenerla con las suyas. Mientras se presiona la palma con el pulgar, practicar pequeños movimientos circulares sobre el punto, hacia fuera, y apretando para lograr mayor penetración. Recorrer la superficie de la palma, incluyendo la base del pulgar, utilizado ambas manos si le resulta más sencillo.

2 **rotación de la muñeca** Sostener el antebrazo con una mano y con la otra la mano del compañero. Llevar la mano hacia delante hasta el punto que resulte cómodo y comenzar a practicar círculos, lo más completos posibles, con ella. Hacer girar la muñeca dos veces en cada dirección, aplicando más presión sobre la mano cuando sea necesario.

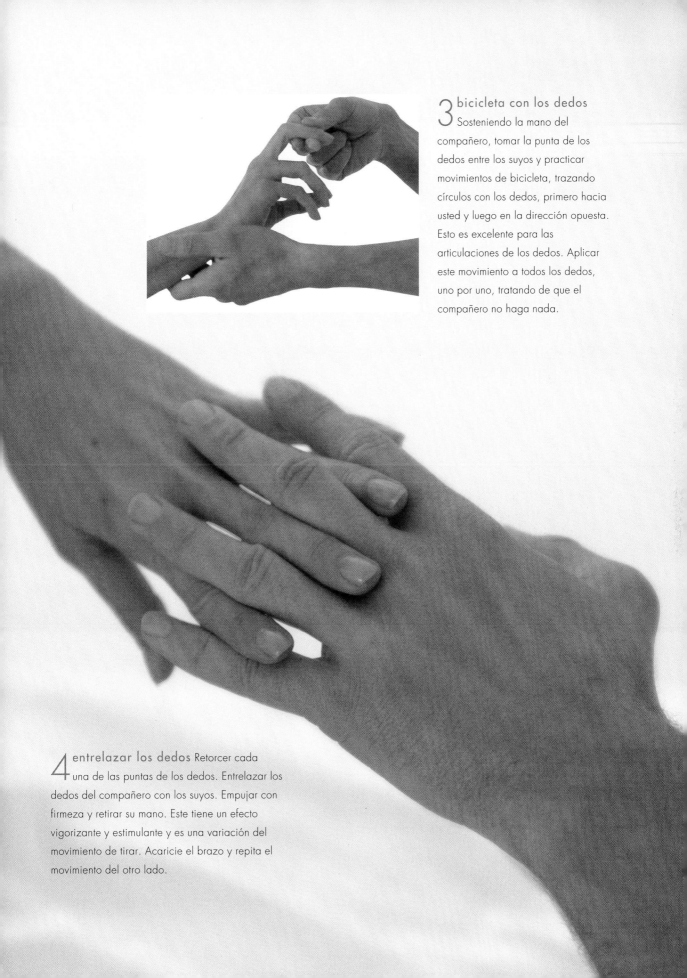

3 **bicicleta con los dedos**
Sosteniendo la mano del compañero, tomar la punta de los dedos entre los suyos y practicar movimientos de bicicleta, trazando círculos con los dedos, primero hacia usted y luego en la dirección opuesta. Esto es excelente para las articulaciones de los dedos. Aplicar este movimiento a todos los dedos, uno por uno, tratando de que el compañero no haga nada.

4 **entrelazar los dedos** Retorcer cada una de las puntas de los dedos. Entrelazar los dedos del compañero con los suyos. Empujar con firmeza y retirar su mano. Este tiene un efecto vigorizante y estimulante y es una variación del movimiento de tirar. Acaricie el brazo y repita el movimiento del otro lado.

el pecho

Aquí se aplican sobre el pecho una serie de manipulaciones nuevas, especialmente para trabajar los músculos pectorales, la caja torácica y entre las costillas. Los pectorales en un hombre pueden estar muy desarrollados, de modo que tal vez sea necesario trabajar para lograr una relajación general. Si el compañero retiene de algún modo la respiración, ínstelo a que respire normalmente. La clave es relajar los músculos de la parte superior del pecho, practicar estiramientos a lo largo de la caja torácica y trabajar bien entre las costillas. Esta combinación aportará una sensación de apertura y expansión y permitirá que la caja torácica se mueva con mayor libertad. Quizá le tome un tiempo familiarizarse con las nuevas técnicas para lograr un mejor efecto.

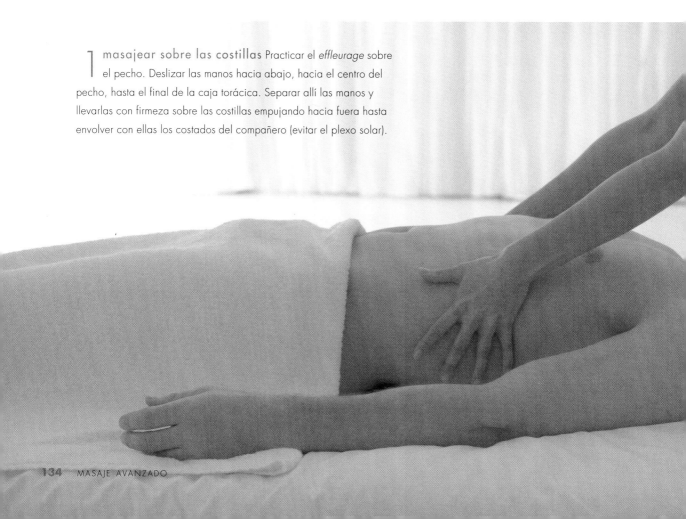

1 **masajear sobre las costillas** Practicar el *effleurage* sobre el pecho. Deslizar las manos hacia abajo, hacia el centro del pecho, hasta el final de la caja torácica. Separar allí las manos y llevarlas con firmeza sobre las costillas empujando hacia fuera hasta envolver con ellas los costados del compañero (evitar el plexo solar).

2 **movimientos circulares** Practicar movimientos circulares sobre los costados, en dirección a usted. Mantener las manos planas contra los costados de las costillas y practicar círculos amplios y lentos, recorriendo el cuerpo hacia las axilas. Regresar a las costillas inferiores y repetir. Es importante controlar el equilibrio del cuerpo. Realizar tres veces este movimiento ascendente, aplicando un pequeño estiramiento sobre las costillas cada vez.

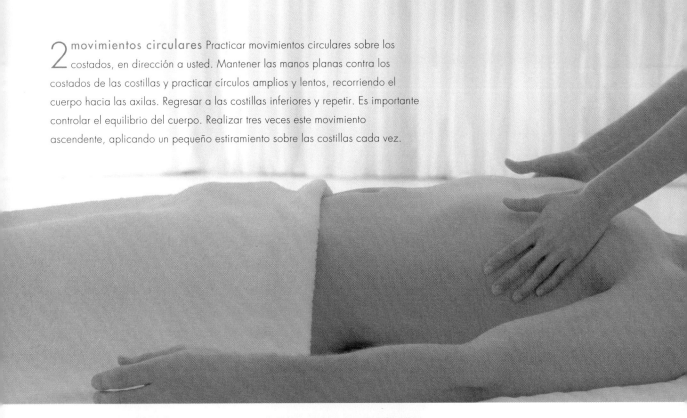

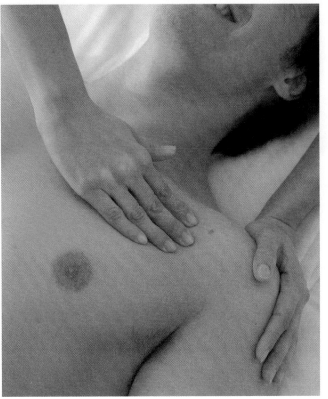

3 **empujar el pecho** Utilizar una mano como sostén y apoyar las puntas de los dedos de la otra en la parte superior del pecho del compañero, justo al costado del esternón. Empujar firmemente con los dedos a lo largo de las costillas hacia la articulación del hombro. Repetir dos veces más, cada vez un poco más abajo. Si su compañero es una mujer, no debe masajear directamente los senos. Cuando se presiona entre las costillas la sensación es muy agradable.

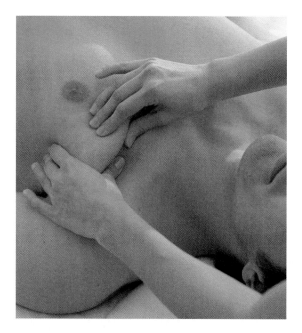

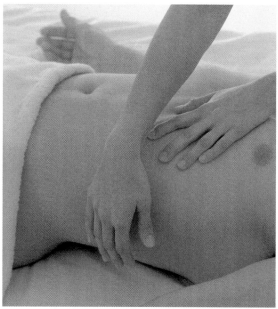

4 **amasar los pectorales** Situarse al costado del
compañero y amasar cuidadosamente los músculos
pectorales, evitando masajear sobre los pezones. Presionar
y enrollar con los dedos los músculos en dirección a usted.
Si su compañero es una mujer, lógicamente podrá
masajear un área más pequeña. Los masajes firmes sobre
los músculos pectorales son muy relajantes.

5 **levantar las costillas** Inclinarse más sobre
el costado del compañero, ubicando una mano bajo
la caja torácica. Tirar de la mano en dirección a usted
y hacia arriba y repetir el movimiento con la otra mano.
Ir levantando alternativamente en dirección al centro
del pecho y luego rodear los hombros. Repetir estos
últimos movimientos del otro lado.

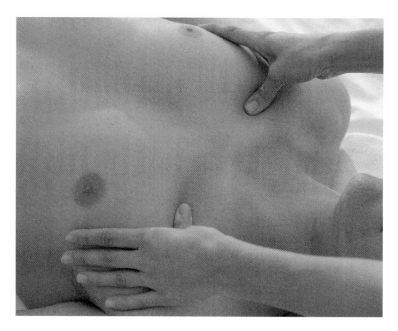

6 **masajear las costilla**
Poner las yemas de los pulgares
a ambos lados del esternón de su
compañero, en el hueco que está
justo encima de la clavícula. Empujar
firmemente hacia fuera, en dirección
a la articulación del hombro con los
dos pulgares al mismo tiempo,
aflojando ligeramente la presión
hacia el final del movimiento. Repetir
lentamente dos veces más, rodeando
los hombros la última vez. Este
movimiento da una grata sensación
de liberación en el pecho.

7 empujar los hombros Colocar las manos
sobre los hombros y empujar hacia abajo.
Se pueden empujar los dos hombros a un tiempo
o alternativamente, llevándolos cada vez un poco
más abajo. Terminar el movimiento acariciando
los brazos hacia abajo.

el abdomen

Esta es una zona sensible y desprotegida, de modo que nunca se la debe masajear de manera muy profunda. Especialmente en el caso de los hombres, puede despertar una gran sensibilidad sexual, de modo que usted deberá utilizar su discreción para hacer más breve el masaje en caso necesario. Sus manipulaciones nunca deben ser intrusivas. En el abdomen hay puntos vitales de presión y centros de energía relacionados con el movimiento de los órganos que pueden estar bloqueados por el estrés. Un masaje calmante puede dar sensacionales resultados, tanto en cuando a la liberación de energía como en cuanto a la restauración de los patrones normales de respiración abdominal.

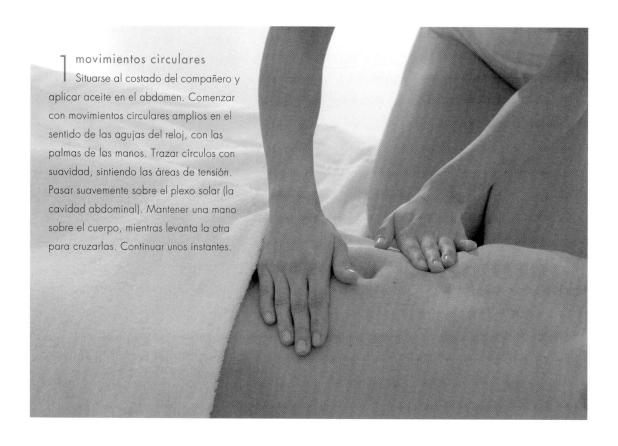

1 movimientos circulares

Situarse al costado del compañero y aplicar aceite en el abdomen. Comenzar con movimientos circulares amplios en el sentido de las agujas del reloj, con las palmas de las manos. Trazar círculos con suavidad, sintiendo las áreas de tensión. Pasar suavemente sobre el plexo solar (la cavidad abdominal). Mantener una mano sobre el cuerpo, mientras levanta la otra para cruzarlas. Continuar unos instantes.

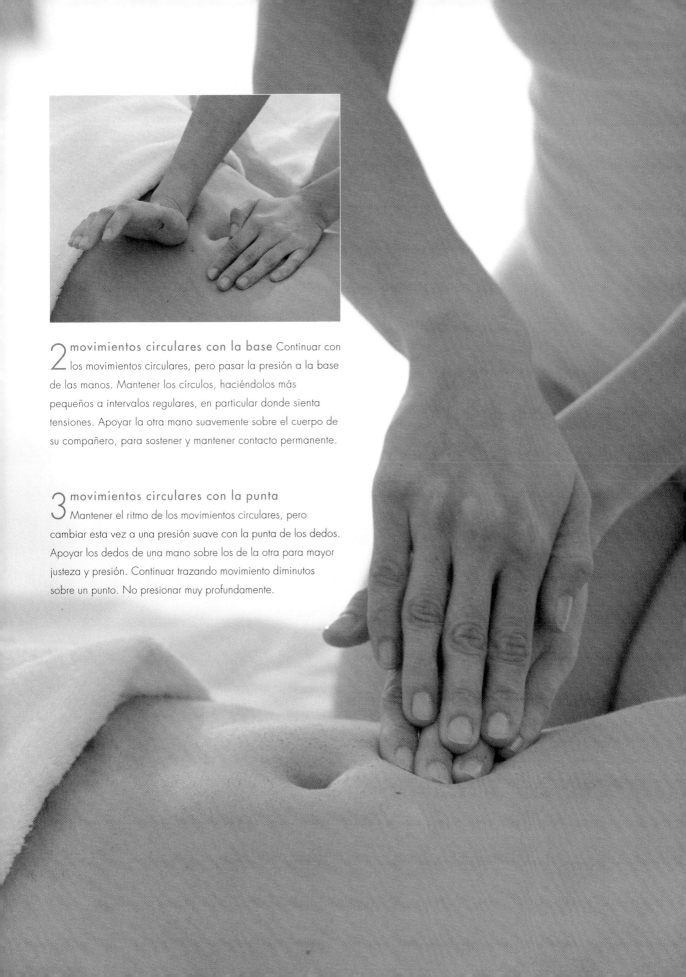

2 **movimientos circulares con la base** Continuar con
los movimientos circulares, pero pasar la presión a la base
de las manos. Mantener los círculos, haciéndolos más
pequeños a intervalos regulares, en particular donde sienta
tensiones. Apoyar la otra mano suavemente sobre el cuerpo de
su compañero, para sostener y mantener contacto permanente.

3 **movimientos circulares con la punta**
Mantener el ritmo de los movimientos circulares, pero
cambiar esta vez a una presión suave con la punta de los dedos.
Apoyar los dedos de una mano sobre los de la otra para mayor
justeza y presión. Continuar trazando movimiento diminutos
sobre un punto. No presionar muy profundamente.

4 amasar Inclinarse sobre el
compañero y comenzar a amasar
los músculos blandos del costado del
cuerpo, trabajando entre la cadera y
la caja torácica. Empujar los músculos
apartándolos de usted
y luego enrollar la piel hacia usted.
Amasar hacia arriba y hacia abajo
varias veces, sin masajear la parte
delantera del abdomen. Cuando estos
músculos se retuercen, la sensación es
muy agradable.

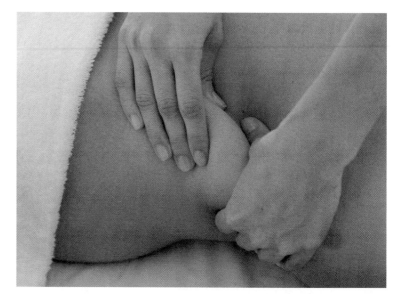

5 tirar Colocar una mano bajo el
compañero, justo bajo el nivel de
las caderas. Llevar la mano en dirección
a usted, comenzando el mismo
movimiento con la otra mano. Seguir
tirando y luego cambiar de posición
y ejecutar estos dos movimientos
del otro lado.

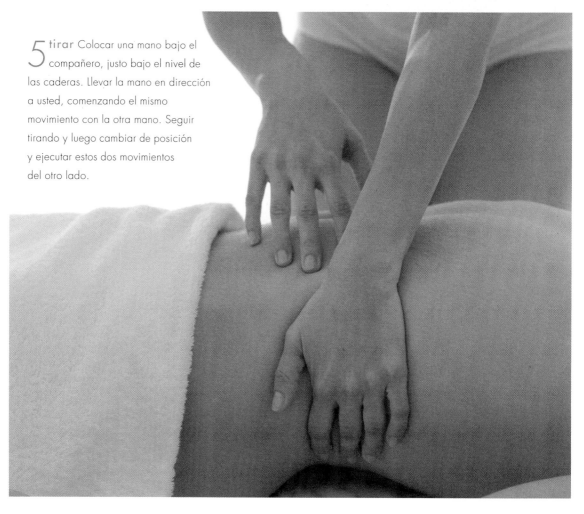

6 apoyar Colocar suavemente las manos sobre
el abdomen y dejarlas apoyadas durante unos
momentos permitiendo que suban y bajen con la
respiración del compañero. Sentir la energía que
sale de las palmas y pasa al compañero, y pensar
positivamente. Retirar las manos sin que el
compañero lo note.

la parte anterior de las piernas y los pies

Esta es la etapa final del masaje avanzado. Es bueno que los movimientos sean cada vez más lentos, para que el compañero tenga la sensación de que el masaje se prolonga hasta el último momento. Además de los movimientos de presión, amasado y torsión, se acrecentará la presión con el uso de la base de las manos y se incluirá el trabajo sobre las rodillas. Preste atención a la parte anterior de los muslos, ya que, si bien pueden exigir trabajo, suelen ser muy sensibles. Mueva las manos sobre los pies como si pusiera la cobertura a un pastel y elimine la tensión a través de los dedos. El balanceo final resulta muy liberador y cierra el masaje con un detalle especial.

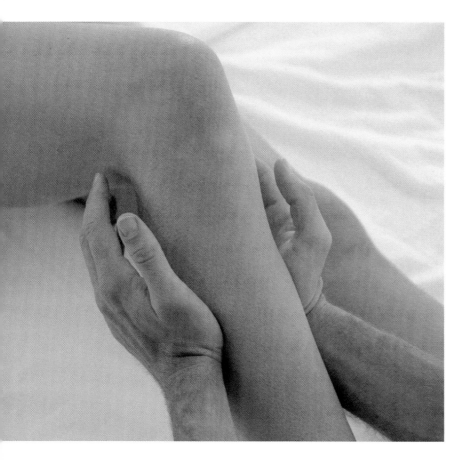

1 apretar la pantorrilla

Arrodillarse junto a los pies del compañero y practicar el *effleurage* sobre la pierna. Luego comenzar a apretar los músculos de la pantorrilla en dirección ascendente. Para aplicar mayor presión, utilizar las bases de las manos para apretar los costados de las pantorrillas, dispersando el movimiento al acercarse a las rodillas. Repetir el movimiento en dirección ascendente varias veces.

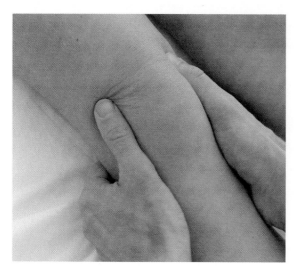

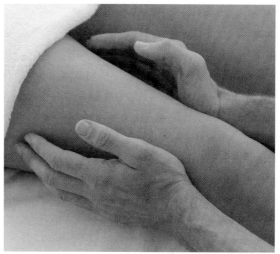

2 movimientos circulares en la rodilla
Poner los pulgares juntos en la base de la rodilla.
Trazar movimientos circulares muy pequeños, presionando
bien cerca de la rodilla. Trabajar ascendiendo sobre la
rodilla, con ambos pulgares practicando círculos al mismo
tiempo. La presión debe ser firme y efectiva.

3 apretar el muslo Acercarse al compañero y
continuar apretando el muslo en dirección ascendente,
usando la base de las manos para aplicar mayor presión.
Trabajar por franjas a lo largo de los músculos de los
muslos, dispersando el movimiento en la cadera. Percibir
con las manos las zonas que requieren atención.

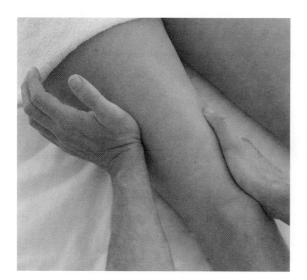

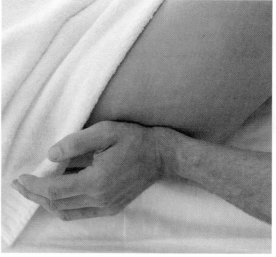

4 apretar con la base de las manos
Mientras se sostiene la pierna del compañero, utilizar
la base de la otra mano para apretar en dirección
ascendente el costado del muslo, dispersando el
movimiento en la cadera. Practicar dos veces. Comenzar
justo encima de la rodilla y controlar la presión.

5 movimientos circulares en la cadera Colocar
la base de la mano en la parte superior del muslo, en
la curva que está debajo de la cadera. Aplicar
movimientos circulares en dirección opuesta a usted tres
veces, presionando con las bases de las manos para
penetrar profundamente. Este movimiento tranquiliza y relaja.

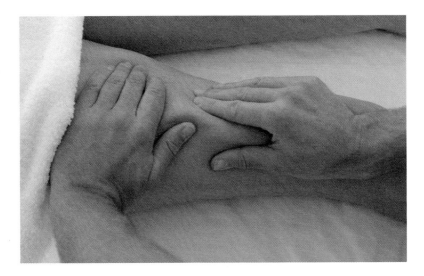

6 **amasar el muslo** Sentarse el costado del compañero. Comenzar a amasar sobre la parte delantera de los músculos de los muslos, presionando tanto como resulte cómodo y luego enrollando con los dedos en dirección a usted. Trabajar por el muslo hacia arriba y hacia abajo, terminando en la rodilla.

7 **balancear por debajo de la rodilla** Se realiza en medio de los movimientos de torsión. Realizar la torsión sobre el muslo en dirección descendente. Ahuecar las manos alrededor de la parte posterior de la rodilla y balancear suave de un lado al otro, para aflojar la tensión.

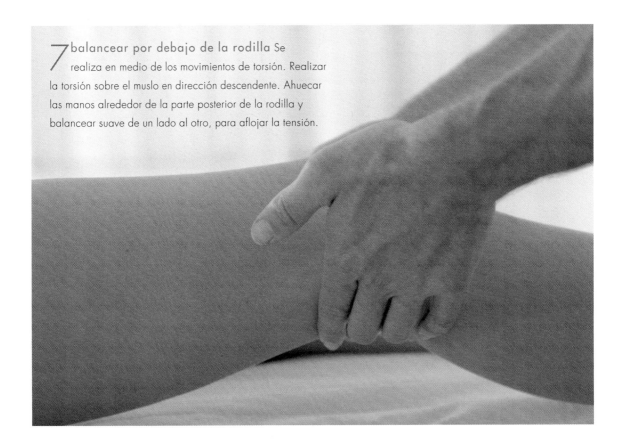

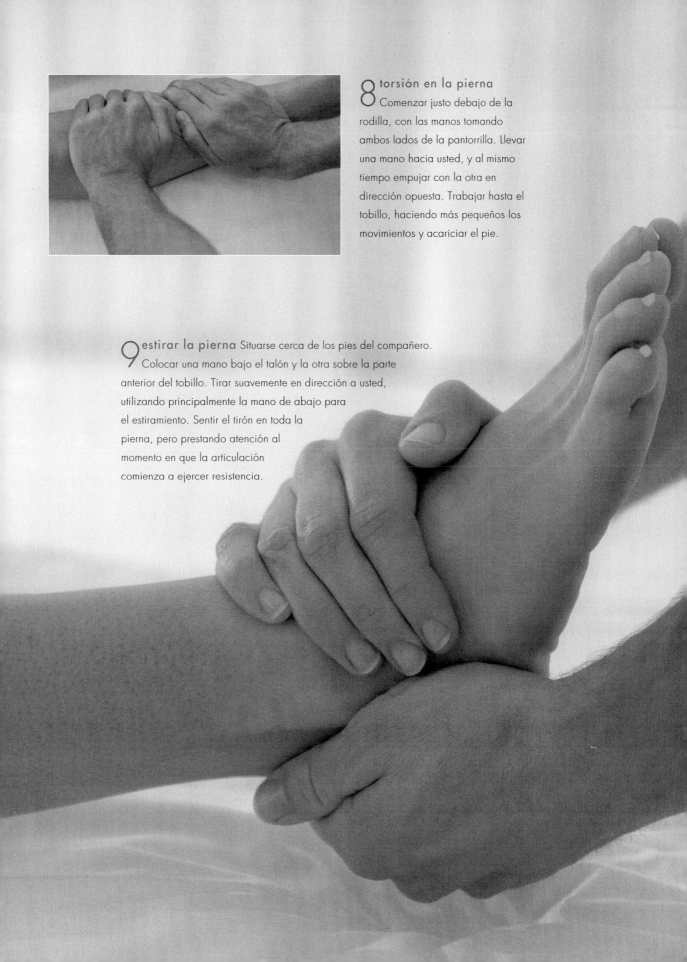

8 torsión en la pierna
Comenzar justo debajo de la rodilla, con las manos tomando ambos lados de la pantorrilla. Llevar una mano hacia usted, y al mismo tiempo empujar con la otra en dirección opuesta. Trabajar hasta el tobillo, haciendo más pequeños los movimientos y acariciar el pie.

9 estirar la pierna Situarse cerca de los pies del compañero. Colocar una mano bajo el talón y la otra sobre la parte anterior del tobillo. Tirar suavemente en dirección a usted, utilizando principalmente la mano de abajo para el estiramiento. Sentir el tirón en toda la pierna, pero prestando atención al momento en que la articulación comienza a ejercer resistencia.

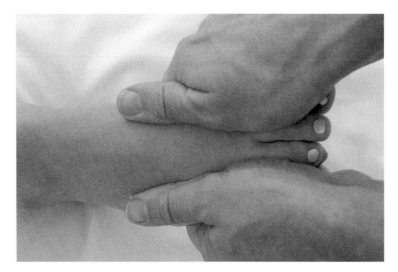

10 abrir el pie Acomodar las manos alrededor del pie del compañero, con los dedos por debajo y los pulgares planos sobre la parte superior. Separa los pulgares, presionando la parte superior del pie con la base de los pulgares. Masajear el pie hacia los costados y repetir el movimiento. Es apropiado para relajar tensiones y para estirar convenientemente los músculos.

11 presionar la planta Este es el complemento de la manipulación anterior. Con las manos en la misma posición, presionar con los dedos la planta del pie. Mientras tanto, ayudar con los pulgares para arquear el pie. Comenzar justo debajo del tobillo y trabajar desde el centro, descendiendo hasta los dedos.

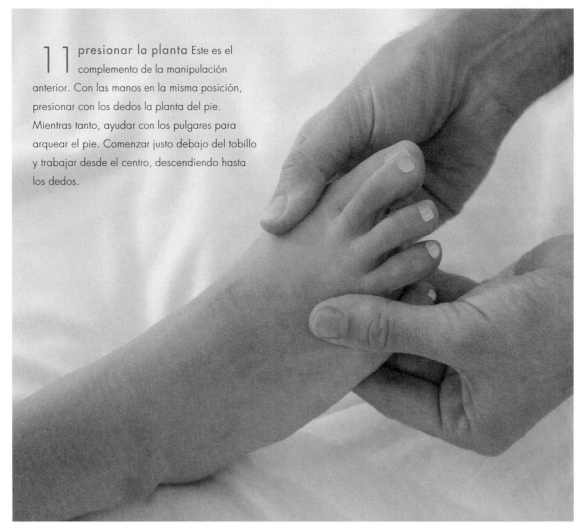

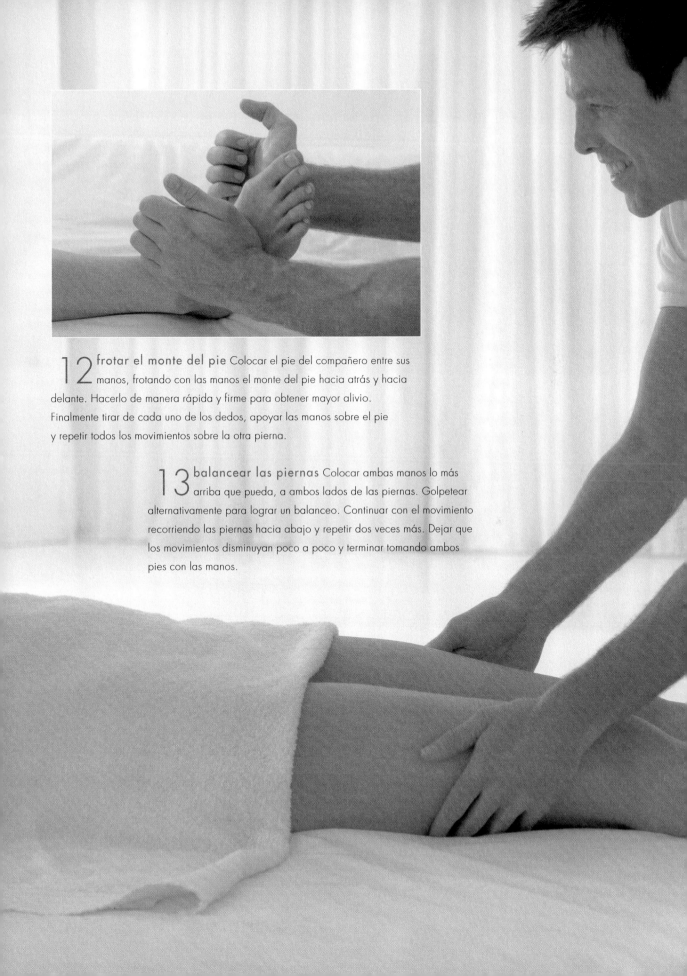

12 frotar el monte del pie Colocar el pie del compañero entre sus manos, frotando con las manos el monte del pie hacia atrás y hacia delante. Hacerlo de manera rápida y firme para obtener mayor alivio. Finalmente tirar de cada uno de los dedos, apoyar las manos sobre el pie y repetir todos los movimientos sobre la otra pierna.

13 balancear las piernas Colocar ambas manos lo más arriba que pueda, a ambos lados de las piernas. Golpetear alternativamente para lograr un balanceo. Continuar con el movimiento recorriendo las piernas hacia abajo y repetir dos veces más. Dejar que los movimientos disminuyan poco a poco y terminar tomando ambos pies con las manos.

técnicas específicas

Estas técnicas para propósitos específicos son ampliaciones de los usos de los masajes. Tómelas como ejemplos, ya que cada sección representa un área posible de aplicación de los masajes. Las técnicas y los puntos que aquí se muestran presuponen un conocimiento de las técnicas generales y le darán mayor flexibilidad y la posibilidad de adaptar su masaje a las necesidades particulares de su compañero. En el caso del masaje sensual, se trata de una oportunidad para dar curso a su propia sensualidad. Experimente estas técnicas que probablemente desee usar de manera más específica para ver cuáles son las que más resultados le dan.

introducción a las técnicas específicas

La secuencia que hemos seguido hasta ahora constituye un masaje para relajación general y alivio de las tensiones. Sin embargo, el masaje se puede utilizar de muchas maneras, y las siguientes páginas le darán algunas ideas para adaptar sus masajes a circunstancias específicas y a las necesidades de su compañero. Se incluyen algunas técnicas para abordar dolencias cotidianas tales como las cefaleas, los puntos que habitualmente se tensionan, y para transformar el masaje en una experiencia sensual. Además, si usted desea un masaje pero no tiene un compañero en ese momento, no tiene por qué dejar la ocasión: ¡adapte las técnicas a sus necesidades! Estas ideas son sugerencias para que usted pruebe y para que experimente con ellas. Podrá luego incorporarlas a secuencias más completas. Lo mejor es observar las respuestas que obtiene para tener una idea más clara del éxito de sus manipulaciones. No olvide que cada persona es diferente y por eso resulta positivo probar las técnicas con varias personas antes de hacer juicios y diseñar las suyas propias cuando encuentre algo que funcione muy bien. Cuantas más técnicas tenga en la punta de los dedos, más podrá ayudar en diferentes situaciones y más lo requerirán.

Trastornos corrientes

La primera sección está dedicada a problemas comunes que se pueden aliviar con masajes y con la ayuda de aceite esenciales. Si bien para tratar enfermedades serias o crónicas es necesaria una formación profesional, el masaje, o frotar y presionar una zona lastimada, es una acción que todos llevamos a cabo instintivamente. El uso de remedios naturales, que incluyen el masaje, es una manera saludable, inofensiva y barata de tratar problemas menores, con el beneficio de que no produce efectos colaterales. Cuando el cuerpo se desequilibra y enferma, el mismo cuerpo puede encontrar soluciones. En este sentido, el conocimiento de los puntos de presión y sus aplicaciones puede ser extremadamente útil. Antes de aplicar las técnicas, pídale a su compañero que le dé la mayor información posible acerca de la dolencia. Vean si pueden establecer entre los dos la causa de la misma, otros problemas que la pueda haber exacerbado y, cuando se trata de un problema recurrente, si existe algún hecho relacionado que pueda evitarse la próxima vez. A menudo, al escuchar a las personas, se dará cuenta de que no solo le describen el problema, sino que además le dicen lo que necesitan hacer con él o lo que desean que usted haga. Luego puede usar su conocimiento y su intuición y además debe evitar las presiones que resulten dolorosas. Recuerde que no debe diagnosticar ni tratar de curar —no recomiendo el masaje como sustituto de la atención médica— sino que debe confiar en el simple acto de ayudar, sumado a la estimulación que aporta el contacto, se obtendrá un verdadero beneficio.

Tensión

Si bien todos los masajes tienden a aliviar las tensiones, existen técnicas específicas que se pueden aplicar para abordar específicamente este problema. Nuevamente el uso de los puntos de presión puede ser muy útil. Como antes mencionamos, la tensión, especialmente cuando se combina con factores ambientales, es la causa de más problemas de los que suponemos y ha llegado a formar parte de la vida de casi todo el mundo. Se puede manifestar como tensión mental, cuando la mente no puede desconectarse, o como tensión física, cuando los músculos se contraen en una actitud defensiva, lo cual a lo largo del tiempo puede dar como resultado una disminución de la movilidad muscular. También se puede acumular tejido fibrótico en los músculos, lo cual forma los «nudos» que percibimos bajo la piel. A menudo las personas se asombran de que esto se perciba, pero en realidad es muy fácil hacerlo y nos da una clave más de dónde es necesario trabajar. La tensión, sin embargo, no solo afecta el sitio donde la sentimos —la causa puede residir en una zona completamente diferente— sino que afecta a todo el cuerpo, que se puede tensar o cerrar, perpetuando esta condición. Por lo tanto, un objetivo de su masaje debe ser aflojar, relajar y estirar, alentando al compañero a entregarse, aunque sea un poco. Para ayudar a su compañero a relajarse, use un abordaje tranquilizador (los movimientos de balanceo son excelentes) e intente que la relajación surja del interior, ya que nunca se la puede forzar desde fuera. Además, el uso de aceites esenciales suavizantes y relajantes puede hacer maravillas.

Masaje sensual

Todo masaje es sensual hasta cierto punto. La piel contiene millones de terminaciones nerviosas que llevan mensajes al cerebro, y cada una de ellas es muy sensible. Estas registran cada toque, sea ligero, profundo o doloroso. El masaje naturalmente pone en juego a los sentidos, particularmente el tacto, aunque también incluye los olores de los aceites, los sonidos de los masajes (que no se deben subestimar) y, por supuesto, el masaje es también visualmente sensual. El masaje ejerce una atracción sobre el cuerpo y los sentidos. Sin embargo, existe una gran diferencia entre el placer sensual de un masaje destinado a relajar, calmar o ejercer un efecto terapéutico y un masaje sensual que tenga por objetivo excitar sexualmente. Un masaje sensual no debe darse sin anuncio previo, sino que debe acordarse de antemano. Si se lo practica así, ofrece una maravillosa oportunidad para explorar la sensualidad, estimulando y energizando el cuerpo a través del contacto. A través de una combinación de manipulaciones lentas, suaves e inventivas sobre zonas sensibles del cuerpo y teniendo en cuenta el conocimiento que usted tiene de su pareja, usted puede transformar un masaje en un deleite sensual. Es posible vitalizar de esta manera cada parte del cuerpo. Los terapeutas suelen recomendar masajes a las parejas como un modo de tocarse, excitarse y conocerse sin la presión del desempeño sexual. En lugar de centrarse en la estimulación sexual, es preferible prestar atención a las zonas del cuerpo que el otro no espera y transformar a todo el cuerpo en una zona erógena. Dar un masaje sensual puede ser un hermoso y generoso acto de entrega hacia alguien que se ama. Una vez más, el uso de los aceites esenciales puede cambiar el ánimo: ¡hay varios que tienen fama de ser afrodisíacos!

Automasaje

El automasaje no es solo una segunda opción, sino también una excelente manear de mantener los músculos y las articulaciones relajadas y tonificadas. Cuando no hay un compañero presente, o para mantenerse en forma entre un masaje y otro, es una manera sencilla y agradable de ayudarse a uno mismo. Siempre se puede encontrar el momento para darle al cuerpo un masaje de cinco minutos, tan a menudo como se desee. La ventaja es que uno conoce exactamente cuál es la presión adecuada y la puede utilizar para revitalizarse y aumentar su energía, aun cuando se sienta cansado. Es particularmente útil como medida preventiva en los momentos en que uno siente que el estrés aumenta y tiene el beneficio de que uno conoce de inmediato la respuesta de su cuerpo. Si bien la espalda es evidentemente la zona más difícil de alcanzar, con un poco de improvisación es posible cubrir la mayor parte del cuerpo y sentirse mejor en pocos minutos. El automasaje combina bien con cualquier tipo de relajación, programa de ejercicios o de belleza y es una manera de sentirse bien y de adquirir práctica en el masaje. Reserve un tiempo para usted y, como regla general, trabaje desde la parte superior del cuerpo hacia abajo, terminando con algunos masajes generales. Use durante el día técnicas estimulantes para despertarse y mantener los niveles de energía, y durante la noche aplique técnicas relajantes, combinadas con respiración profunda, para disolver las tensiones del día y ayudarse a conciliar el sueño. Nunca piense que su propio masaje no va a beneficiarlo.

cefaleas

Las cefaleas incluyen desde un pequeño dolor sordo hasta una devastadora migraña. Pruebe las siguientes técnicas para aliviar el dolor de cabeza en general. Controle siempre la presión que ejerce: a veces la sensibilidad puede ser tanta que bastará con toques muy leves. En primer lugar, masajee el cuello, quitando el dolor hacia arriba y hacia fuera. Las cefaleas pueden ser síntoma de enfermedades o infecciones, pero a menudo se deben a problemas digestivos, tensiones, esfuerzos de la vista, malas posturas, problemas de sinusitis o trastornos mensuales, o a reacciones a comidas, bebidas o a la contaminación. Pruebe con aceite de lavanda, de romero o de menta, o relájese en un baño de lavanda.

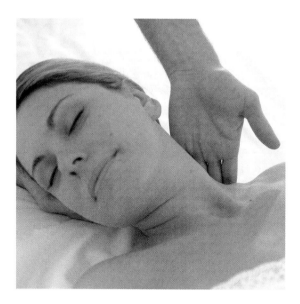

cuello Llevar hacia un lado la cabeza del compañero, sosteniéndola con la mano. Luego llevar los dedos desde la parte superior de los hombros hasta la base del cuello. Manteniéndolos a los costados de la columna, tirar suavemente hacia arriba desde los músculos del cuello hacia la base del cráneo. Repetir varias veces.

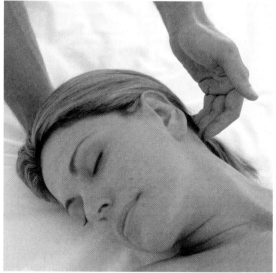

base del cráneo Apoyar las puntas de los dedos sobre la base del cráneo del compañero. Suavemente trazar pequeños círculos con las yemas de los dedos, recorriendo la base y la parte posterior del cráneo. Imagine que las tensiones se van aliviando y el dolor del compañero se va disolviendo. Repetir hasta sentir alivio.

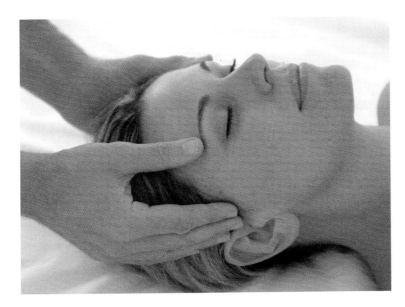

cejas Colocar las puntas de los pulgares a ambos lados de la nariz del compañero, justo debajo de la parte interior de las cejas. Lentamente llevar los pulgares hacia fuera, siguiendo la línea de las cejas hasta las sienes. Esto ayudará a aliviar la congestión. Levantar suavemente los pulgares. Repetir varias veces, con la idea de aliviar las tensiones.

frente Colocar los pulgares juntos justo encima de las cejas, en el centro de la frente. Presionar hacia abajo con las yemas de los pulgares, e ir suavemente hacia fuera, hacia las sienes. Repetir por franjas, comenzando cada vez un poco más cerca del nacimiento del cabello. Terminar masajeando muy suavemente.

relajación de brazos

Muchos problemas de brazos derivan de las tensiones en la espalda. Los músculos tensos restringen el movimiento de las articulaciones, lo cual a su vez causa un aumento en el trabajo de los músculos de los miembros y puede hacer que los nervios se irriten. Los siguientes movimientos ayudan a relajar los músculos y las articulaciones. Acomode la silla de su oficina a la altura adecuada, con un bloque bajo sus pies, si es necesario. Haga pausas con frecuencia, sacuda sus brazos y alterne el uso de los mismos.

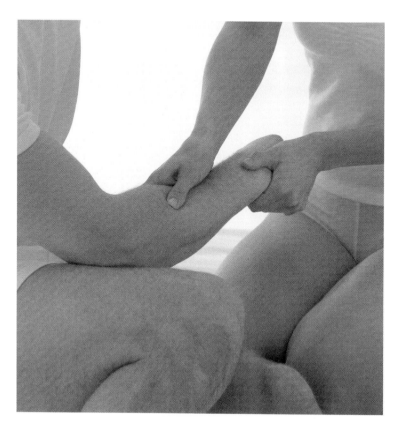

presionar el antebrazo

Sostener el brazo del compañero por la muñeca. Colocar el pulgar sobre el centro del antebrazo y presionar entre los huesos. Al mismo tiempo que se presiona, practicar movimientos circulares sobre la zona para aumentar la presión. Presionar el centro del brazo a intervalos regulares, acomodándose a la línea de los huesos.

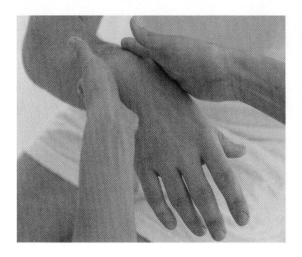

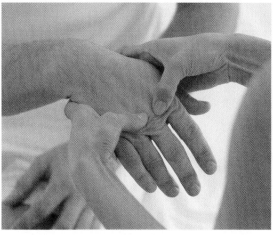

balancear la muñeca Apoyar los dedos ligeramente a los lados de la muñeca del compañero. Girar la muñeca de un lado al otro entre los dedos mayores. El movimiento debe ser muy rápido. Ayudará a aflojar la muñeca y, mientras su compañero relaja la mano, los dedos se irán aflojando poco a poco.

apretar entre los huesos Sostener el brazo del compañero con una mano. Colocar el pulgar sobre la membrana que une el pulgar y el índice y ubicar el resto de los dedos por debajo. Masajear hacia abajo entre los huesos, apretando entre el pulgar y el índice. Repetir este movimiento entre dedo y dedo de la mano del compañero.

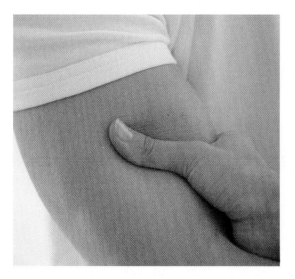

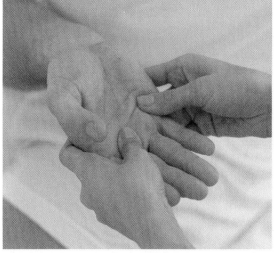

apretar el brazo Sostener el brazo por la muñeca. Colocar la mano sobre los músculos de la parte superior del brazo del compañero, con el pulgar hacia un lado y el resto de los dedos hacia el otro. Presionar, levantar, apretar y enrollar los músculos entre los dedos y el pulgar. Continuar trabajando por el brazo hacia arriba y hacia abajo, disipando las tensiones.

presionar las articulaciones de los dedos Sostener la mano con la palma hacia arriba. Con los pulgares, presionar las articulaciones de los dedos. Se puede presionar profundamente, trabajando sobre, alrededor y debajo de las articulaciones. Usar ambos pulgares para trabajar sobre cada articulación, presionando, girando y describiendo círculos entre los dedos.

tensión en la cadera y en la zona lumbar

Muchas personas padecen tensiones en la zona lumbar, un problema que suele acompañarse de rigidez en las caderas. Al ser el sostén del resto de la columna, la zona lumbar es extremadamente importante. Las malas posturas, los esfuerzos, la falta de ejercicio y los asientos inadecuados contribuyen a hacer de ella un punto débil. Una zona lumbar tensa afecta el esto de la columna y puede contribuir a la pérdida de movilidad de la cadera, a la vez que afecta las piernas o provoca dolores. He aquí algunas ideas para estirar la zona lumbar, movilizar la articulación de la cadera y aflojar el tejido fibroso que la rodea.

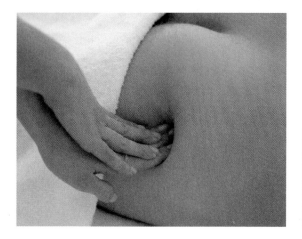

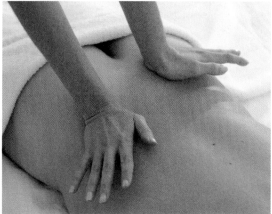

presionar la articulación de la cadera
Colocar las puntas de los dedos detrás de la parte superior del hueso del muslo y presionar hacia dentro. Aumentar poco a poco la presión, a medida que va penetrando en el tejido blando, usando la otra mano para sostener. Presionar y aflojar alrededor de la articulación.

estiramiento en diagonal Inclinarse sobre el compañero. Colocar ambas manos en los lados opuestos de la zona lumbar, una a nivel de la cadera y otra un poco más arriba. Practicar un estiramiento en diagonal. Presionar aplicando el peso del cuerpo y apartar, sin mover la piel. Repetir el movimiento en sentido opuesto.

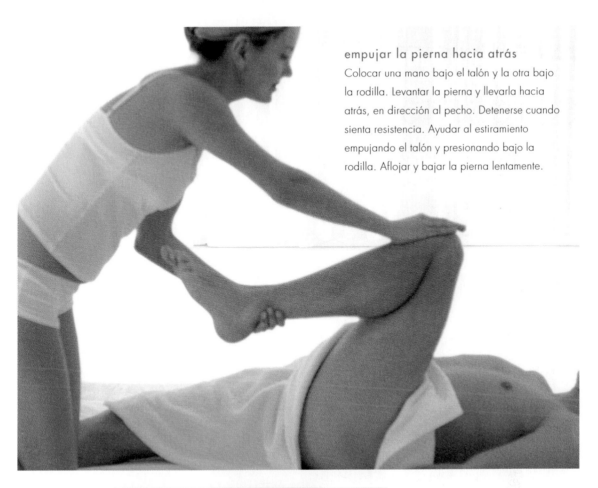

empujar la pierna hacia atrás

Colocar una mano bajo el talón y la otra bajo la rodilla. Levantar la pierna y llevarla hacia atrás, en dirección al pecho. Detenerse cuando sienta resistencia. Ayudar al estiramiento empujando el talón y presionando bajo la rodilla. Aflojar y bajar la pierna lentamente.

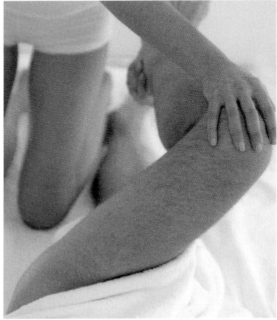

movimientos circulares en la articulación de la cadera

Mantenerse en la misma posición. Levantar la pierna y doblarla hacia el pecho. Comenzar a describir círculos con la pierna muy lentamente, sosteniéndola por debajo del pie y la rodilla. Trazar tres círculos lo más amplios posible. Detenerse si se observa que el compañero se tensa. Repetir en la otra dirección y bajar suavemente la pierna.

problemas de sinusitis

Los senos paranasales son cavidades que segregan mucosidad y que se conectan a través de conductos con la cavidad nasal. Como resultado de una infección, el revestimiento de los senos se inflama, provocando la producción de excesiva mucosidad y el bloqueo del conducto que drena de los senos a la nariz. Esto crea una acumulación de mucosidad, que lleva a incomodidades y cefaleas. Si usted padece de sinusitis, puede intentar suspender alimentos como los lácteos, el azúcar, el trigo y las patatas y consumir una dieta rica en frutas y verduras. Los aceites de eucalipto, mena, albahaca y lavanda son útiles, especialmente bajo la forma de inhalaciones.

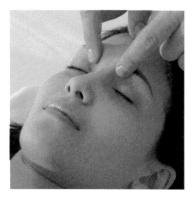  

presionar el borde interno de los ojos Aunque estos puntos habitualmente se asocian con el alivio de las cefaleas, pueden ser muy útiles en los casos de sinusitis. Colocar las puntas de los dedos en el borde interior de debajo de las cejas, justo arriba de la parte interior de los ojos. Presionar lentamente durante dos o tres segundos y luego aflojar la presión.

presionar debajo de los ojos Colocar ambos pulgares justo debajo del borde inferior de la cavidad ocular y localizar la depresión del hueso, aproximadamente a mitad del mismo. Presionar lentamente durante tres segundos y luego aflojar la presión en forma pareja. Estos puntos son particularmente útiles para aliviar las congestiones de los senos.

presionar debajo de las mejillas Colocar las puntas de ambos dedos bajo los pómulos, localizando la depresión que está a un tercio del comienzo del hueso. Presionar lentamente con las puntas de los dedos y sostener durante tres segundos; luego aflojar la presión de manera suave y pareja. Estos puntos también lo ayudarán a aliviar la congestión de los senos.

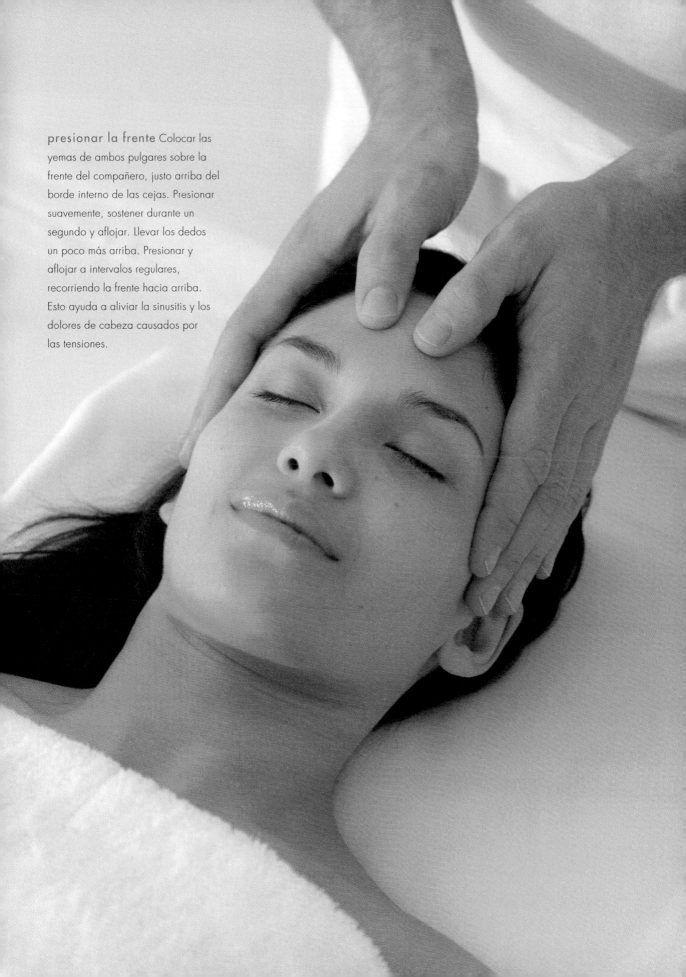

presionar la frente Colocar las yemas de ambos pulgares sobre la frente del compañero, justo arriba del borde interno de las cejas. Presionar suavemente, sostener durante un segundo y aflojar. Llevar los dedos un poco más arriba. Presionar y aflojar a intervalos regulares, recorriendo la frente hacia arriba. Esto ayuda a aliviar la sinusitis y los dolores de cabeza causados por las tensiones.

abdomen

Hay dos dolencias que provocan considerables molestias y dolor, pero que responden muy bien a los masajes: el estreñimiento y los dolores menstruales. Los dolores menstruales, debidos a las contracciones uterinas asociadas con el flujo abundante, se pueden aliviar con masajes suaves y aceites esenciales. La manzanilla, el jazmín, el enebro, el ciprés y la melisa ayudan si se agregan al agua del baño. Los masajes no se practican sobre todo el abdomen. El estreñimiento puede deberse a la tensión o a una dieta que incluye muchos alimentos refinados y pocas fibras. Nuevamente la relajación, las frutas frescas y las verduras y una actitud mental positiva pueden ayudar. Los aceites de pimienta negra, de roa, de hinojo y de mejorana pueden proporcionar un alivio considerable.

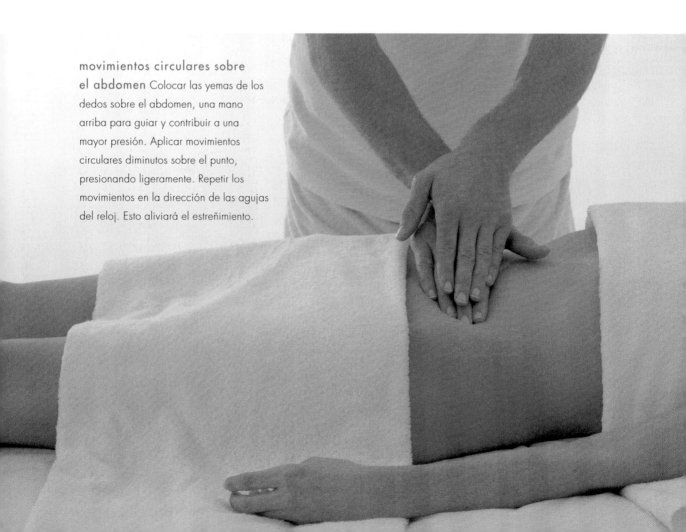

movimientos circulares sobre el abdomen Colocar las yemas de los dedos sobre el abdomen, una mano arriba para guiar y contribuir a una mayor presión. Aplicar movimientos circulares diminutos sobre el punto, presionando ligeramente. Repetir los movimientos en la dirección de las agujas del reloj. Esto aliviará el estreñimiento.

movimientos circulares en la zona lumbar Cuando los dolores menstruales son fuertes, la última cosa que una desea es que la toquen. Sin embargo, este masaje sobre la zona lumbar da calor y alivia el dolor. Practicar círculos lentamente en sentido opuesto a las agujas del reloj, con movimientos amplios y reconfortantes. Continuar hasta lograr alivio.

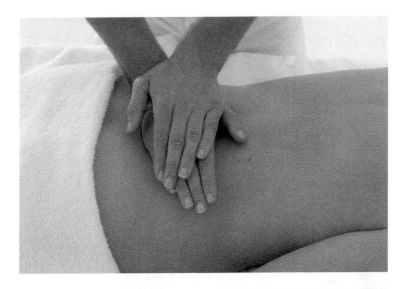

movimientos circulares en tobillo Esto es para los dolores menstruales. Ubicar la mano tres dedos por encima de la parte superior del tobillo. Practicar círculos, presionando con las yemas de los dedos. El movimiento debe ser lento y profundo y debe estar centrado en los huesos.

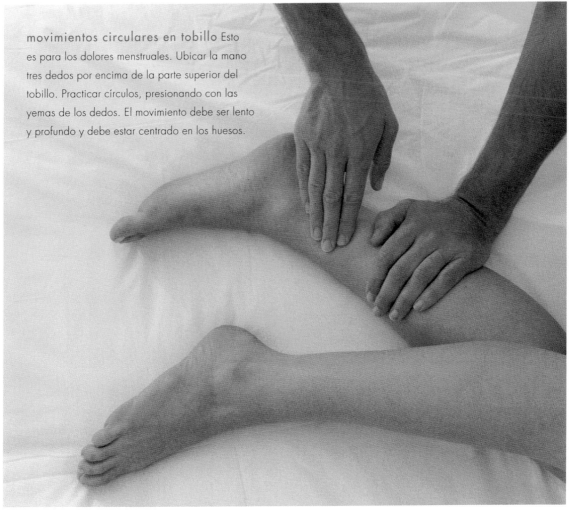

cefaleas por tensión

Las situaciones estresantes, una sobrecarga de información o una agenda saturada pueden ser la causa de ansiedad persistente y de la liberación de ciertas sustancias químicas en el cuerpo. Estas sustancias se pueden acumular y provocar cefaleas que suelen agravarse por las tensiones musculares que conllevan esas situaciones. Sin embargo ¿por qué no probar con un masaje en lugar de recurrir a las aspirinas? Estos movimientos lo ayudarán a disipar las tensiones y contribuirán a la relajación. Los aceites esenciales de romero, mejorana, melisa, rosa o lavanda pueden ser muy útiles cuando se trata de cefaleas asociadas a la tensión nerviosa.

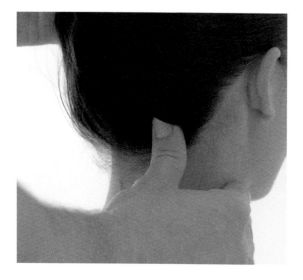

presionar bajo el cráneo Colocar suavemente el pulgar sobre la parte inferior del cuello del compañero y recorrer la columna hacia arriba hasta llegar al hueco que se encuentra debajo de la base del cráneo. Presionar suave pero firmemente durante dos segundos y luego aflojar. Esto tiene un efecto inmediato relajante y vigorizante. Practicarlo solo una vez.

amasar el cuello Sostener la cabeza desde abajo con una mano, colocar la otra mano en la base del cuello y amasar suavemente los músculos del cuello. Los dedos deben mantenerse a los costados de la columna. Trabajar hacia arriba, en dirección al cráneo, y regresar, levantando suavemente los músculos para alentar el alivio de las tensiones. Repetir del otro lado.

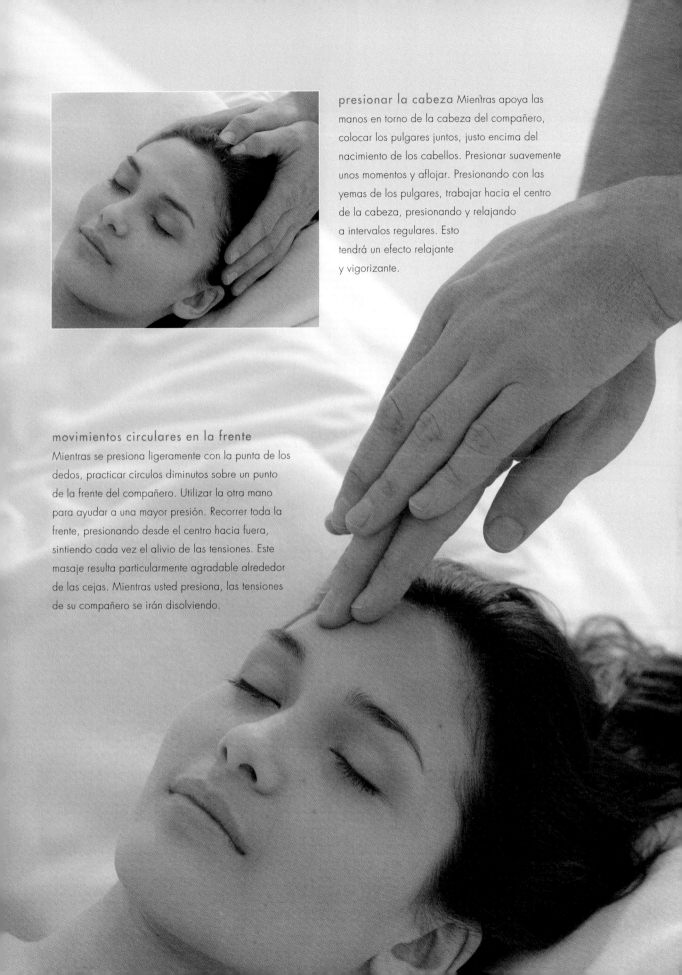

presionar la cabeza Mientras apoya las manos en torno de la cabeza del compañero, colocar los pulgares juntos, justo encima del nacimiento de los cabellos. Presionar suavemente unos momentos y aflojar. Presionando con las yemas de los pulgares, trabajar hacia el centro de la cabeza, presionando y relajando a intervalos regulares. Esto tendrá un efecto relajante y vigorizante.

movimientos circulares en la frente
Mientras se presiona ligeramente con la punta de los dedos, practicar círculos diminutos sobre un punto de la frente del compañero. Utilizar la otra mano para ayudar a una mayor presión. Recorrer toda la frente, presionando desde el centro hacia fuera, sintiendo cada vez el alivio de las tensiones. Este masaje resulta particularmente agradable alrededor de las cejas. Mientras usted presiona, las tensiones de su compañero se irán disolviendo.

tensión facial

Los músculos faciales pueden acumular gran cantidad de tensión. Cuando nos sentimos tensos, el cuerpo inmediatamente se torna rígido y se cierra. Una mandíbula contraída, dientes apretados o una sonrisa congelada tienden a tensar los músculos, pero por lo general no nos damos cuenta hasta que nos relajamos. Para contrarrestar estos efectos, es importante aflojar la mandíbula, mantener la lengua y la boca flojas y la garganta abierta. Relajar el rostro puede provocar un cambio inmediato en el estado de ánimo y suavizar la expresión, que si es dura y rígida da un mensaje negativo. Pruebe estas técnicas de relajación y recuerde que inhalar suavemente y tratar de sacar las tensiones al exhalar es un excelente remedio vigorizante.

relajar la mandíbula Sentarse junto a la cabeza del compañero y tomar su mentón. Colocar los pulgares por encima y los dedos por debajo. Pedir al compañero que relaje la mandíbula y abrirla suavemente el máximo posible. Cerrar la mandíbula y repetir el movimiento varias veces para ayudar al compañero a relajarse.

dibujar una sonrisa Apoyar los pulgares sobre las mejillas, a ambos lados de la nariz. Llevar los pulgares sobre las mejillas y alrededor de ellas, levantando los músculos faciales para formar una sonrisa. Pedir al compañero que afloje el rostro. Relajarse y sonreír internamente puede dar resultados extraordinarios.

rastrillar el cabello Sentado detrás del compañero, rastrillar el cabello con las manos, manteniéndolas siempre cerca del cuero cabelludo. Trabajar desde el nacimiento del cabello hacia la parte posterior de la cabeza, recordando trabajar también desde las sienes. Esto estimula el cuero cabelludo y resulta vivificante.

levantar la cabeza Con el compañero acostado, ponga las manos debajo de la base del cráneo y lentamente levante la cabeza del compañero todo lo que pueda, mientras resulte cómodo. Asegurarse de que el compañero deja caer todo el peso de su cabeza y no trata de ayudar. Al llegar al mayor grado de elevación, pedir al compañero que se relaje y exhale suavemente, dejado salir las tensiones.

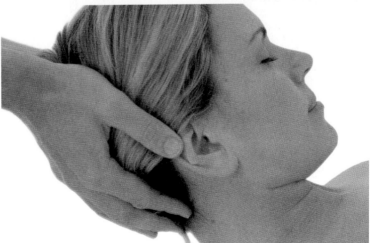

tensiones en la espalda

Muchos dolores de espalda tienen su origen en las tensiones musculares. La mala postura y las tensiones musculares pueden afectar seriamente el movimiento de las articulaciones. Esto lleva a la compresión y a una restricción aún mayor del movimiento. Mantenga la espalda relajada con el masaje regular, concentrándose en la presión de los músculos hacia fuera. El uso de los puntos de presión también ayuda. La clave aquí es la suavidad. Comience siempre las manipulaciones lentamente y aumente la presión solo cuando sienta que la espalda está relajada. De no ser así, su compañero responderá tensándose aún más.

estirar entre los omóplatos Sentarse al lado del compañero e, inclinándose, apoyar ambas manos entre los omóplatos, a ambos lados de la columna. Presionando con las bases de las manos, lentamente empujar hacia los hombros, deteniéndose en los omóplatos. Repetir el movimiento para lograr la liberación de las tensiones.

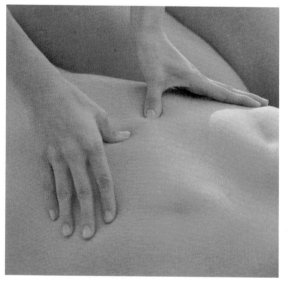

presionar entre las costillas Colocar las yemas de los pulgares sobre los músculos de los costados de la columna, comenzando desde la última costilla del compañero. Presionar los músculos que se encuentran entre las costillas y aflojar. Ir recorriendo la columna hacia arriba, presionando y aflojando después de cada costilla.

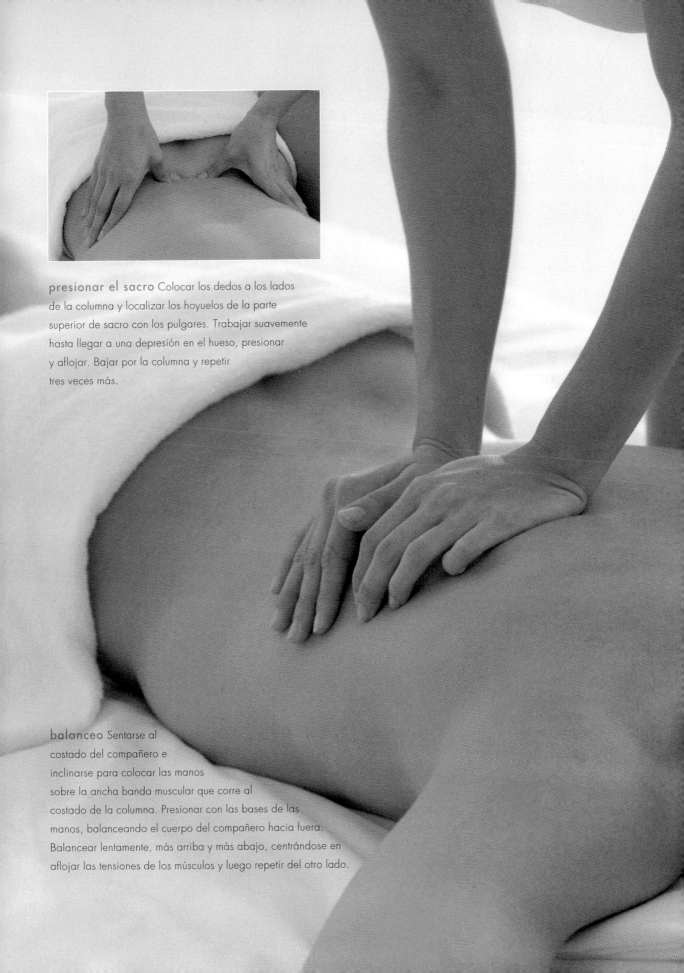

presionar el sacro Colocar los dedos a los lados de la columna y localizar los hoyuelos de la parte superior de sacro con los pulgares. Trabajar suavemente hasta llegar a una depresión en el hueso, presionar y aflojar. Bajar por la columna y repetir tres veces más.

balanceo Sentarse al costado del compañero e inclinarse para colocar las manos sobre la ancha banda muscular que corre al costado de la columna. Presionar con las bases de las manos, balanceando el cuerpo del compañero hacia fuera. Balancear lentamente, más arriba y más abajo, centrándose en aflojar las tensiones de los músculos y luego repetir del otro lado.

masaje sensual

Para transformar un masaje en algo sensual, debe abordar de otro modo las mismas técnicas. Usará los masajes con los que está familiarizado, pero la calidad de los mismos y su intención serán diferentes. Concéntrese en el contacto y en la respuesta del cuerpo del compañero, usando sus manos con sensibilidad para despertarlo y excitarlo. Demore los movimientos. Use las puntas de los dedos para acariciar y explorar, atendiendo a cada sensación. Concéntrese en las zonas sensibles. El sándalo, el pachuli y el ylang-ylang son aceites afrodisíacos. Aumente la intensidad inventando técnicas propias y usando no solo las manos, sino también los pies, la respiración y el cabello. Trate de cautivar y hacer disfrutar a su pareja.

acariciar con el cabello Utilizar el cuerpo de manera creativa, para incentivar los sentidos del compañero. Acariciar el cuerpo con el cabello produce una sensación maravillosa. Recorrer la espalda, las plantas de los pies y las palmas de las manos del compañero con los cabellos, deslizando las puntas del mismo sobre la piel. Concentrar siempre la atención sobre el cuerpo del compañero.

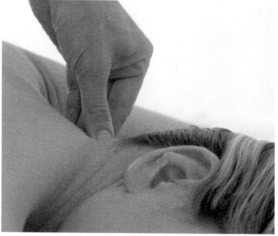

amasar los músculos del cuello Usar el pulgar y el índice para amasar suavemente los músculos del cuelo, liberando cualquier tensión. Esto produce una sensación muy agradable, particularmente antes y después de volver la cabeza. Apretar y levantar los músculos, continuando a través del cabello y sobre la base del cráneo. La parte posterior del cuello es una zona muy sensible. Cada detalle hará que su compañero se sienta muy especial.

tirar de los cabellos Tomar
los cabellos del compañero y tirar
suavemente de ellos, dando
pequeños tirones a las raíces y
acariciándolos hasta las puntas. Esta
es una fantástica manera de finalizar
un masaje sobre la cabeza y el
cuello. A todo el mundo le gusta
que le acaricien el pelo y
jueguen con él.

masajear el muslo La concentración total y
la cercanía física producen una experiencia muy
sensual. Recorrer el muslo con los dedos,
concentrándose en la textura de la piel y la de
los músculos.

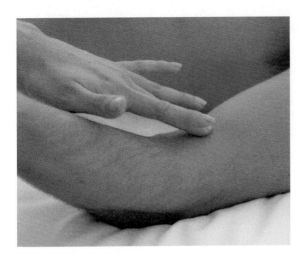

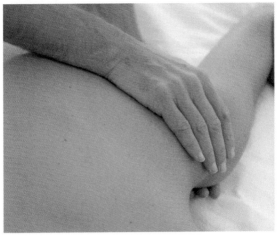

masajear el interior del codo Explorar las partes sensibles del cuerpo del compañero. Masajear el interior del codo, practicando círculos lentos en torno de la articulación. Luego masajear suavemente y retirar las manos. Cada parte del cuerpo del compañero puede ser un centro sensual.

empujar el omóplato Sostener suavemente el cuerpo del compañero desde abajo y con la base de la mano masajear los músculos del omóplato, yendo hacia la articulación. Trabajar lenta y concienzudamente, recorriendo después del brazo hacia abajo. Este es un masaje cálido y tierno.

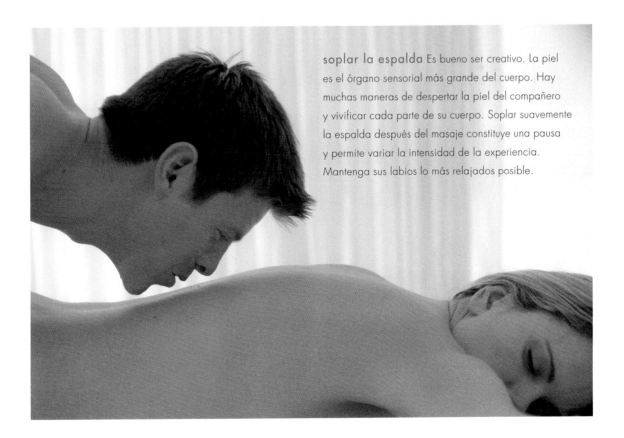

soplar la espalda Es bueno ser creativo. La piel es el órgano sensorial más grande del cuerpo. Hay muchas maneras de despertar la piel del compañero y vivificar cada parte de su cuerpo. Soplar suavemente la espalda después del masaje constituye una pausa y permite variar la intensidad de la experiencia. Mantenga sus labios lo más relajados posible.

masajear los hombros Con las puntas de los dedos, masajear suavemente la piel del compañero. Practicar círculos, pincelar y acariciar con cada dedo y cada parte de la mano. Usar el contacto para estimular la piel antes de masajear una zona a fin de lograr ternura, relajar, reconfortar, suavizar, quitar tensiones y excitar. Experimentar con la posición del propio cuerpo para liberar tensiones.

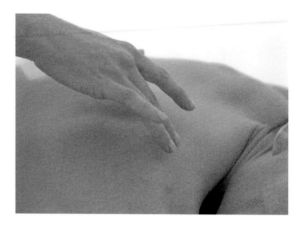

estirar brazos Usar manipulaciones creativas para que su masaje sea especial. Levantar el brazo del compañero y lentamente tirar del brazo hacia atrás. Tomarse de las muñecas mientras estira, para que el compañero desempeñe un papel más activo. Esto hace que el estiramiento provoque una sensación diferente.

masajearse mutuamente los pies Un masaje mutuo es siempre una gran idea. Puede probarlo con los pies. Colocarlos juntos y empujando con firmeza uno frente al otro, usar los dedos, los talones y los montes de los pies para presionar sobre las plantas, cubriendo la mayor cantidad de superficie posible. Luego apoyar los pies, dejando que solo los dedos se toquen.

acariciar las manos En el masaje sensual es posible ser creativo con el cuerpo. Delicadamente deslizar los dedos sobre la mano del compañero, deteniéndose sobre cada detalle. Tocar suavemente, aun cuando se trate de alguien muy cercano, da lugar a toda una nueva manera de ver al compañero. Son acciones muy poderosas.

automasaje

Las figuras que siguen nos dan algunas ideas para practicar masajes sobre nosotros mismos. Pruebe con manipulaciones suaves y firmes y sienta cómo responde su cuerpo a cada una. Sus respuestas pueden ser diferentes según el estado de ánimo. Sea tan creativo como desee, pero sea sensible respecto de las zonas vulnerables, especialmente el cuello y la zona lumbar. Puede practicar los masajes usando aceites calmantes o vivificantes sobre su piel, aunque parte del atractivo reside en que estos movimientos se pueden realizar fácilmente a través de las ropas. Si tiene problemas de tiempo, estos ejercicios pueden adaptarse a la silla o al escritorio de su oficina y, si está muy cansado, a su cama.

amasar el hombro Para aliviar la tensión del hombro, colocar una mano sobre el hombro opuesto. Amasar y apretar los músculos del hombro con los dedos y la base de la mano. Trabajar hacia el ángulo del cuello y luego hacia fuera, en dirección al brazo.

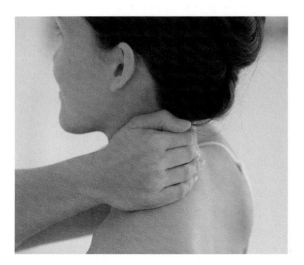

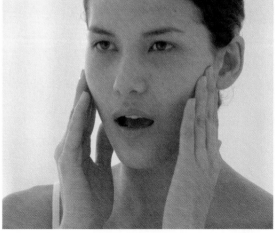

amasar el cuello Después de amasar el hombro, continuar el movimiento hacia el cuello. Manteniendo los dedos en la parte posterior del cuello, apretar suavemente entre la base de la mano y las yemas de los dedos. Trabajar en dirección ascendente, y regresar varias veces, siempre con los dedos al costado de la columna.

movimientos circulares en la mandíbula
Para encontrar el lugar correcto donde practicar los círculos, abrir y cerrar la boca y colocar las puntas de los dedos allí donde sienta el trabajo de los músculos. Con la mandíbula relajada y la boca abierta, trazar círculos lentos y grandes sobre los músculos.

masajear la frente Colocar las manos de modo tal que las puntas de los dedos se encuentren justo en el centro de la frente. Apartar las manos lentamente hasta que los dedos lleguen al nacimiento de los cabellos. El masaje debe ser suave y debe sentir que las tensiones se disuelven.

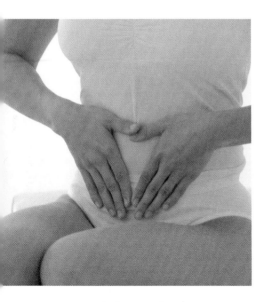

movimientos circulares en el abdomen Sentada en una posición relajada, ubicar las manos planas en el centro de su abdomen, con los dedos hacia abajo. Llevar las manos lentamente hacia arriba, separándolas mientras describe círculos hacia fuera. Juntarlas en la parte inferior del círculo y llevarlas nuevamente hacia arriba. Esto es fantástico para relajar el abdomen.

amasar el costado Colocar las manos al costado del abdomen y tomar un rollo de piel con una mano. Comenzar el movimiento de amasado, empujando hacia fuera con el pulgar y enrollando los dedos hacia usted. Amasar hacia arriba y hacia abajo por el costado del cuerpo, usando las manos alternativamente. Esto no solo tonifica los músculos, sino que además ayuda a relajar la zona lumbar.

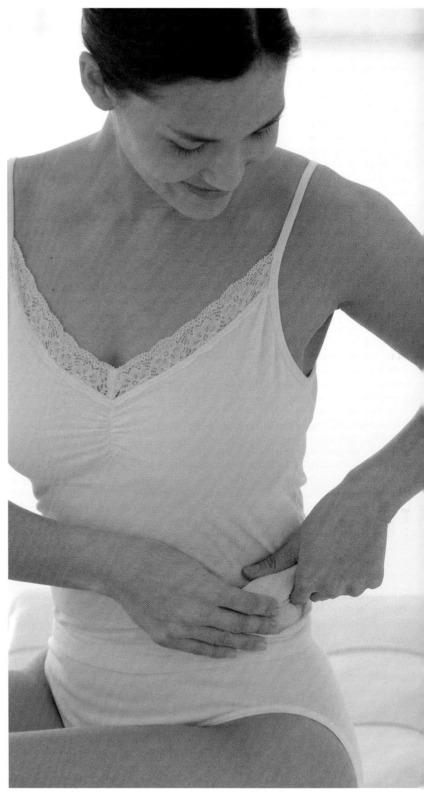

masajear el pecho Con los dedos sobre el pecho, justo al costado del esternón, empujar firmemente con los dedos en dirección al brazo. Trabajar por franjas, desde la clavícula hasta encima de los senos. Esto relaja la rigidez de la parte superior del pecho.

movimientos circulares en el pecho Con las yemas de los dedos, practicar pequeños círculos sobre la parte superior del pecho, usando los mismos criterios que anteriormente. Es mejor que los círculos sean hacia fuera y resultan particularmente agradables entre las costillas.

movimientos circulares con la base de las manos Aunque parezca un poco rebuscada, esta es una extraordinaria manera de trabajar los músculos pectorales. Colocar la base de las manos a los costados del pecho, justo debajo del nivel de las axilas. Presionar firmemente, trazando círculos.

abrir el pie Sentarse de manera tal de poder alcanzar el pie cómodamente. Juntar las puntas de los dedos bajo las plantas con la base de los pulgares juntas sobre el empeine. Lentamente ir llevando los pulgares hacia los costados, aplicando una ligera presión. Esto da la sensación de apertura del pie.

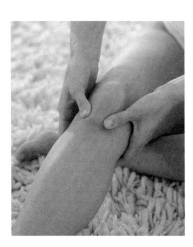

presionar la rodilla Con la pierna relajada, presionar con la yema de los pulgares alrededor de la rodilla. La presión puede ser firme y deben trazarse círculos en la zona. Esto es bueno para aflojar cualquier rigidez en torno de la rodilla, la pantorrilla y el muslo.

hacer girar el tobillo
Asegurándose de que la pierna esté sostenida, ubicar la mano firmemente sobre la planta del pie. Lentamente hacer girar el tobillo en ambas direcciones, trazando círculos tan amplios como se pueda. Esto es formidable para relajar la articulación del tobillo y mantenerla flexible, y al mismo tiempo vigoriza la pantorrilla.

balancear la pantorrilla Colocar las manos a ambos lados de la pantorrilla, donde los músculos son más amplios. Balancear las manos rápida y firmemente de un lado al otro, de modo que los músculos se muevan con sus manos. Esto es excelente para aflojar la pantorrilla, disipar tensiones y vigorizar la parte inferior de las piernas.

golpear la espalda Inclinarse hacia delante y con los puños cerrados, golpear la espalda hacia arriba y hacia abajo, lo más lejos posible. La sensación a los lados de la columna es muy agradable. Mantener las rodillas flexionadas y las muñecas relajadas para que los movimientos sean limpios y rápidos.

círculos con la zona lumbar Acostado boca arriba sobre una superficie firme y plana, llevar las rodillas hacia el pecho y practicar lentos círculos con la zona lumbar sobre el suelo. Para aflojar los músculos de esa zona, practicar círculos grandes y pequeños en ambas direcciones, sin levantar las caderas del suelo.

golpear los muslos y caderas Acostado de lado, sostenerse con un brazo y llevar la pierna de arriba hacia delante, con la rodilla flexionada. Con el puño libre, golpear hacia arriba y hacia abajo el muslo, la cadera y la nalga, siempre con movimientos cortos y vivos. Cambiar de lado. Esto estimula la circulación.

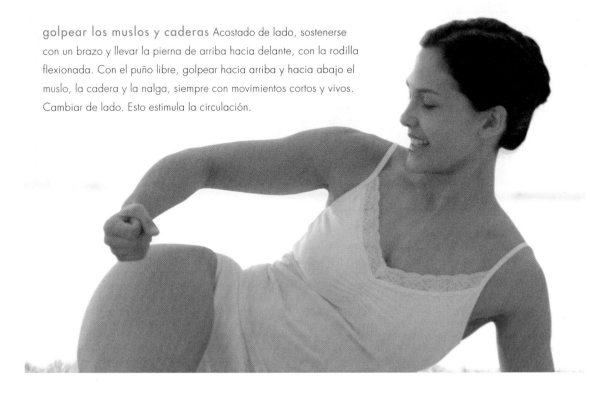

empujar la zona lumbar
Apoyar las manos sobre las caderas, con los pulgares hacia delante. Con las puntas de los dedos, ubicar los hoyuelos que están a los lados de la parte inferior del sacro y empujar firmemente hacia abajo sobre la línea de la articulación, sin cambiar la posición de los pulgares.

después del masaje

Así como hay que dedicar tiempo y reflexión a la preparación de un masaje, también hay que prestar atención al modo en que se concluye para dejar un efecto duradero. Cuando uno comienza a dar masajes, es muy útil tener una idea clara de lo que se espera, para obtener el mayor provecho. Nunca hay que subestimar los efectos de un masaje. Por ello es importante que su compañero permanezca relajado por lo menos durante una hora y que usted pueda recuperar energías y tomarse algún tiempo. Planifique este tiempo y tenga en cuenta que sus amigos reclamarán una y otra vez sus servicios.

los efectos el masaje

Todas las personas reaccionan de manera diferente al masaje. La respuesta es muy personal y tiene que ver con el estado físico y mental previo de cada uno. Es mejor no comenzar un masaje esperando un determinado resultado, ya que esto puede limitar y presionar a la persona que da el masaje. Se puede, sin embargo, suponer que la mayor parte de las personas se sentirán mucho más relajadas. Además, su cuerpo y su personalidad se suavizará, la piel se tornará más clara, el semblante más saludable y los ojos más claros y brillantes. Algunas personas generan las ideas más creativas durante un masaje. Los sentimientos pueden variar desde un poco de flojedad hasta algo parecido a la euforia. Si el masaje ha sido estimulante, su pareja se puede sentir alerta y llena de energía. Otras personas, en cambio, sienten pesadez y cansancio, y se quieren ir a dormir. Algunos sienten apetito, otros se sienten como si hubiesen estado haciendo ejercicio e incluso pueden sentirse un poco fatigados. Esto es porque los músculos han trabajado más allá de lo habitual. Casi todas las personas se sienten más livianas y muchas veces problemas tales como las tensiones del cuello y los hombros, el dolor de espalda o el de cabeza han mejorado o desaparecido por completo.

Es posible que la emotividad de su compañero aumente durante o después del masaje y que esto lo haga llorar. Esa reacción es perfectamente normal. Durante el masaje, uno se encuentra emocionalmente abierto y eso puede proporcionar alivio, ya que más tarde se sentirá mucho mejor. Si su compañero no demuestra una reacción muy notoria, no se sienta decepcionado ni sienta que su masaje no ha sido efectivo. Muchas personas me han contado efectos extraordinarios que aparecieron después.

La persona que da el masaje también resulta afectada. Dar un masaje nos da más energía, nos hace sentirnos más enamorados de la vida y solemos vernos radiantes.

consejo

He aquí algunos consejos útiles que puede seguir después de terminar el masaje:

• Deje a su compañero descansar durante unos instantes. Cuando esté listo para levantarse, aconséjele que se vuelva sobre el costado. Eso hace más sencillo el trabajo de la columna.

• Después de un masaje, su compañero debe permanecer relajado durante por lo menos un hora y beber mucha agua mineral para limpiar el cuerpo de toxinas. Es bueno tener agua para ofrecerle.

• Los aceites esenciales tardan al menos 30 minutos en ser absorbidos y pueden permanecer en el torrente sanguíneo hasta ocho horas. Para obtener los mayores beneficios, su compañero no debe ducharse inmediatamente, para que los aceites hagan efecto. Más tarde, es preferible que el baño sea tibio y no caliente.

Es bueno recordar que durante casi una hora usted habrá estado trabajando todo el tiempo mientras su compañero estaba acostado, y que los masajes deben haber producido un estado de relajación. Los cambios de presión arterial pueden explicar en parte las sensaciones de mareo que sienten algunas personas al levantarse. También suele aparecer una reacción física que puede provocar malestares durante las primeras horas. Estos desaparecerán gradualmente, para dejar lugar a una sensación de bienestar. Todo esto es muy normal. ¡El masaje es más poderoso de lo que usted piensa! Es probable que, en la noche que siga al masaje, su compañero duerma profundamente y los efectos duren dos o tres días.

El masaje es una excelente manera de hacer nuevos amigos o de acercarse más a los que ya tiene y siempre es positivo crear ocasiones especiales. La mejor idea es reservar una tarde o una noche para el masaje, el relax y una conversación. Luego se puede salir a caminar, cocinar o divertirse. Compartir tiempo después de esta práctica puede convertirla en una experiencia memorable.

respuestas y reacciones

El masaje es una buena manera de conocer mejor a su compañero. Cada persona tiene reacciones, necesidades y preferencias diferentes y cada masaje que usted practique será diferente. Es importante escuchar al compañero, comprender cómo se siente antes de comenzar y cómo reacciona después de terminar. De las respuestas que obtenga, usted aprenderá mucho, adquirirá experiencia y así llegará a sentirse más seguro. Cuando dé un masaje, sea lo más receptivo que pueda y aliente a su compañero a que le diga todo el tiempo qué cosas le gustan y qué cosas no. Al comienzo, controle con frecuencia el grado de presión que ejerce. Si sus masajes son demasiado suaves, no serán efectivos, pero el masaje no debe provocar dolor. Hay un tipo de presión que parece positiva, pero hay otra que provoca dolor y es necesario evitarla.

Si bien debe ser consciente de cuáles son sus capacidades, también debe estar preparado para experimentar y adaptar los masajes en caso necesario. Si su compañero simplemente desea relajarse, reserve algún tiempo después de la sesión para preguntarle cómo se sintió y cómo reaccionó su cuerpo. Puede aprender mucho de las respuestas de su compañero y, cuando haya una crítica, no debe tomarla como algo personal. Es posible que trate simplemente de los gustos de su compañero y que no tenga nada que ver con su técnica. También es posible que su compañero quiera saber lo que usted ha notado, por ejemplo, respecto de las áreas de tensión. Su compañero puede aprender muchas cosas. Las reacciones de ambas partes pueden ser útiles, aun cuando se trate de reacciones negativas, ya que pueden llevar a un mejoramiento. Es mejor considerar el masaje como un esfuerzo conjunto, para poder así involucrarse, disfrutarlo y relajarse.

adaptar el masaje

Si bien es bueno respetar las secuencias básicas del masaje, sobre todo el comienzo, cuando uno está aprendiendo, también es importante ser flexible y tener la capacidad de adaptar el masaje a las necesidades de su compañero. Por ejemplo, si su compañero tiene alguna herida, usted puede sostener la zona con una almohada y masajear en torno a ella, pero no directamente sobre la superficie. De manera semejante, si él o ella no puede estar acostado con la cabeza hacia un lado, coloque toallas bajo la cabeza o el pecho y manténgalo acostado con las manos sosteniendo la frente. Las heridas, las prioridades, las preferencias, la sensibilidad o la falta de tiempo pueden hacer que usted deba adaptar su masaje para incluir ciertas partes del cuerpo y limitarse en otras ocasiones a un masaje mucho más suave.

Puede ser que su compañero sea particularmente sensible. La timidez, la incertidumbre y la vulnerabilidad pueden hacer necesaria una selección especial de técnicas. Esto es algo que usted llegará a captar muy bien con el tiempo. A veces es preferible limitarse un poco en algunas técnicas para poder luego avanzar más. Para poder masajear más profunda y efectivamente, es necesario respetar los tiempos y sensibilidad. A veces la entrega no es fácil. Cuando practica un masaje, no debe juzgar a su compañero. Tomará tiempo desarrollar esa capacidad. Siempre es necesario asegurarse de que las manipulaciones son claras y no intrusivas, ya que el compañero debe sentirse cómodo.

Si su compañero debe trabajar o desarrollar una actividad después del masaje, deberá actuar de una manera ligeramente distinta. En estos casos son particularmente útiles la percusión y los puntos de presión, ya que estas técnicas tiene un efecto más estimulante. Aplique masajes con los cantos de las manos o con las manos ahuecadas sobre la espalda, por ejemplo, para terminar con ligeros golpes de puño sobre las plantas de los pies. Los estiramientos y los movimientos pasivos sobre las articulaciones también tiene el efecto de preparar el cuerpo para la actividad. Es importante tener en mente las necesidades del compañero y estar alerta para colaborar a mejorar el estado mental del otro.

finalizar la actividad

Una de la mejores cosas del masaje es que es tan positivo darlo como recibirlo. Dar masajes revitaliza nuestra propia energía, transforma nuestro estado de ánimo, nos hace sentirnos mejor y nos da una sensación de equilibrio y grandes satisfacciones. También es divertido. Pese a que doy masajes hace muchos años, nunca dejé de sentirme fascinada. El masaje siempre es diferente, siempre es impredecible y nunca es aburrido. También es un modo de cuidarnos a nosotros mismos. A través de esta actividad, conocerá muchas cosas sobre su cuerpo y sus necesidades. Sin embargo, es muy importante saber que el masaje implica mucha generosidad y que puede cansarnos físicamente o desgastarnos emocionalmente. Esto sucede especialmente cuando comenzamos, ya que debemos concentrarnos en muchas cosas y esforzarnos para que todo resulte bien.

También es importante recibir tantos masajes como masajes se dan. Además, siguiendo unas pocas reglas sencillas, evitará problemas frecuentes:

• Fijar siempre un tiempo límite para el masaje y tener un reloj a la vista. Aclare si solo usted va a dar el masaje o si harán un intercambio con el compañero y cuándo.

• Lavarse las manos al comienzo y al final de cada masaje. No solo se trata de una básica cuestión higiénica y de quitar el aceite, sino que además tiene un efecto psicológico.

• Nunca dar un masaje cuando está especialmente cansado o de mal humor, ya que resultará más agotador.

• Reservar algún tiempo para usted al finalizar y tomarse un breve descanso. Se puede descansar de diversas maneras, pero es importante que logre recuperar lo que ha dado. El masaje puede ser cansado y crea un nueva clase de vínculo entre usted y su compañero. Al comienzo es frecuente que uno incurra en un estiramiento excesivo. Relajarse, realizar algunos estiramientos simples, beber una taza de té, escuchar un poco de música, tomar un baño tibio con lavanda o con sal lo ayudarán a recuperar su energía.

conclusión

Aprender las manipulaciones básicas y llegar a dar un masaje técnicamente correcto es bastante sencillo. Sin embargo, se consigue mucho más cuando el masaje se torna un arte que llega a liberar tensiones provocadas por las posturas corporales y las actitudes mentales. A través del masaje podemos llegar al espíritu, a la creatividad y la espontaneidad que tantas veces está ocultos bajo capas de rutinas y esfuerzos. Dar un buen masaje es como ejecutar un instrumento. A través de él vemos cómo el cuerpo responde, despierta, se relaja y da lugar al placer, la armonía y el equilibrio. El masaje es un experiencia transformadora. Nos da una sensación de totalidad y unión. Mientras usted trabaja sobre su compañero, su energía aumenta al unirse con la de él y ambos experimentan un cierto cambio. Lo verdaderamente fascinante comienza cuando se agrega el elemento mágico, que nada tiene que ver con lo físico, y usted comienza a trabajar con inspiración.

índice

agradecimientos

Gracias a todo el equipo de Hamlyn. Todo mi agradecimiento a Jane McIntosh, Clare Churly, Tracy Killick, Darren Southern y Jane Ellis por sus ideas creativas y su entusiasmo. También agradezco a Russell Sadur sus bellas fotografías y también a la asistente de fotografía, Nina Duncan. Gracias a Toko por el maquillaje y a los modelos Ryan Elliott, Jacqueline Freeman, Jodie McMullen y Stuart Reed por haber conseguido que todo sea tan vistoso. Gracias también a Sian Facer por la ambientación tan original.

Les agradezco a Mike Stone y W. Llewellyn McKone D.O., M.R.O., expertos en medicina osteopática, sus consejos y el tiempo que dedicaron al revisar el texto, y a Wanda Sellar sus recomendaciones sobre el uso de aceites.
Gracias también a mis profesores de masaje, en particular a Sara Thomas, y también a Gill Levy, Steve Bird y Barbara Simons. Finalmente, gracias a toda la gente de la Asociación Británica de Tai Chi Chuan y de Amrita Dzong, por su constante ayuda e inspiración.